*

PONTIFICIO CONSEJO PARA LA PROMOCIÓN
DE LA NUEVA EVANGELIZACIÓN

LOS PAPAS
Y LA
MISERICORDIA

Jubileo de la Misericordia
2015 - 2016

SAN PABLO

Título original: I Papi e la Misericordia
Pontificio Consiglio per la Promozione
della Nuova Evangelizzazione
Ciudad del Vaticano 2015

Traducción: Carolina Salamanca

Sacerdotes y Hermanos de la Sociedad de San Pablo–Provincia de México,
Cuba y Sur de Estados Unidos

Primera edición 2015

Impreso y hecho en México
Printed and made in Mexico

ISBN: 978-607-714-165-5

PRESENTACIÓN

En la bula de convocación del Jubileo, *Misericordiae vultus*, el papa Francisco cita tres Papas para señalar su especial atención al tema de la misericordia. El primero al cual se refiere es Juan XXIII, quien, al convocar el Concilio, dijo:

> Ahora la Esposa de Cristo prefiere usar la medicina de la misericordia, en lugar de cruzar los brazos del rigor [...] La Iglesia católica, mientras con este Concilio ecuménico alza la antorcha de la verdad católica, quiere mostrarse como madre amorosa de todos, benévola, paciente, movida por la misericordia y la bondad hacia los hijos separados de ella.

El segundo es Pablo VI, el cual, al concluir el Vaticano II, recordaba hasta qué punto el Magisterio conciliar había estado a la luz de la parábola del samaritano. Finalmente, traza un resumen del pensamiento de Juan Pablo II en su encíclica *Dives in misericordia*.

Estos ejemplos nos han impulsado a recoger, en una breve síntesis, la riqueza del Magisterio de los últimos Papas sobre el mensaje central del Jubileo. De allí aparece una increíble profundidad, porque la misericordia atraviesa todos los ámbitos de la vida de la Iglesia y de la existencia cristiana. Estas bellas páginas son un testimonio precioso de cuán permanente es la referencia a la misericordia en el Magisterio de la Iglesia. El Pontificio Consejo para la Promoción de la Nueva Evangelización agradece al profesor Laurent Touze, docente en la Pontificia Universidad de la Santa Cruz, por haber contribuido con esta selección a evidenciar la misericordia como el eje conductor de las enseñanzas de los últimos pontífices. Lamentamos no haber podido publicar todo el material al respecto, rico y extraordinario, pero de tales dimensiones, que van más allá de los límites de un instrumento pastoral ágil como el que se ha pensado para la preparación del Jubileo. Estamos seguros de que la meditación de estas páginas llevará no sólo a la reflexión sobre la importancia de la misericordia, sino que será una invitación para que se vuelva parte de la vida cotidiana de todo creyente, en su responsabilidad de hacer creíble el Evangelio.

✠ *Rino Fisichella*

INTRODUCCIÓN

LA PREDICACIÓN DE LA MISERICORDIA, UN EJE DEL MAGISTERIO PONTIFICIO CONTEMPORÁNEO

Los Papas y la misericordia. Esta antología se sitúa en el punto de intersección de dos líneas que, entre otras, atraviesan la vida de la Iglesia católica desde hace varios siglos. Por una parte, los Papas han jugado, por lo menos desde hace un siglo, un papel mucho más importante que sus predecesores en la orientación concreta de la vida espiritual de los fieles. Hoy en día, más que ayer, la manera de orar o de anunciar el Evangelio es mucho más experimentada, en parte gracias a las enseñanzas de los sucesores de san Pedro.

Por otra parte, se puede constatar una toma de conciencia más aguda de la misericordia divina, presente en nuestra historia en Jesucristo. Esta segunda línea es, sin duda alguna, trazada desde el principio por Dios mismo en el corazón de sus hijos (en su libre adhesión a las inspiraciones del Espíritu Santo, en su descubrimiento emocionado de los mensajes centrados en la divina misericordia, como los de santa Teresa de Lisieux o los de santa Faustina Kowalska), pero también ha sido prolongada por numerosos textos del Magisterio pontificio que presentan, utilizando los registros del lenguaje que cambian con los tiempos, el misterio pascual como misterio de misericordia.

Así pues, desde hace casi un siglo o máximo dos, los Papas ejercen una influencia más fuerte sobre la espiritualidad vivida por los fieles católicos del mundo entero. De alguna manera, esto ha sido siempre así, puesto que, por ejemplo, los cristianos han asistido constantemente a la Misa, es decir, al centro y raíz de su vida (*Presbiterorum ordinis*,14), en unión con el Obispo de Roma, y por lo general reciben de la sede apostólica nuevas medidas litúrgicas que modifican su piedad, nuevos santos y beatos propuestos como modelos de imitación, etc. Pero en los siglos XIX y XX, a estas dimensiones tradicionales se suma una auténtica promoción de la vida cristiana por parte de los Sumos Pontífices, una promoción mucho más concreta e insistente que en las épocas anteriores.

Proponemos aquí algunos ejemplos: León XIII escribió dieciséis documentos importantes sobre el Rosario, entre ellos once encíclicas, para propagar aún más esta devoción mariana; san Pío X fomentó la recepción de la Sagrada Comunión y ha sido uno de los grandes reformadores de la vida interna de la Iglesia después del Concilio de Trento; Pío XI apoyó la difusión de los ejercicios espirituales según el método ignaciano (con la encíclica *Mens nostra* de 1929); además de los años santos, piénsese también en la convocación de años marianos, como el de 1954, bajo Pío XII, o el de 1987, bajo Juan Pablo II, o los tres años de preparación del Jubileo del Año 2000, dedicados a las Personas de la Santísima Trinidad.

Este contacto más directo de los Papas con los católicos tiene varias causas. La evolución de la técnica, por ejemplo: se viaja más fácilmente, los Papas desde Roma y los fieles hacia Roma; la radio, la televisión y las nuevas tecnologías de la comunicación les permiten a los cristianos seguir en directo las palabras del Pontífice. Otras causas son más políticas y sociales: la desaparición de lo que se llamaba "poderes católicos" pone a la Santa Sede en un contacto directo con la gente. Si al final del *Ancien Régime* los Estados, por ejemplo los Habsburgo en el norte de Italia, se veían a sí mismos como responsables de una parte de la pastoral, la presencia, después de la Revolución, de autoridades políticas más o menos abiertamente anticristianas, impuso un vínculo más activo y religioso entre el papado y los laicos cristianos.

Cuando el Sumo Pontífice tiene la intención de dirigirse a los fieles ya no tiene que recurrir a un mediador civil. Es también dentro de este contexto de diálogo directo, que los Papas de la época contemporánea suelen insistir en la santidad de los laicos. Además, frente a los retos comunes y cada vez más globalizados, los cristianos son especialmente sensibles a la unidad de respuestas pastorales y apostólicas, y, por tanto, a la unidad con Roma. Finalmente, las persecuciones sufridas por los Papas, desde Pío VI a los "prisioneros del Vaticano" después de 1870, el atentado y luego la larga convalecencia sufridos por san Juan Pablo II, el eco suscitado por la renuncia de Benedicto XVI, han dado un acento más afectivo hacia los sucesores de san Pedro, permitiendo hablar de una devoción al Papa.

Así pues, las primeras coordenadas de esta antología son los obispos de Roma de la época contemporánea, que han ejercido sobre los fieles del mundo entero una dirección espiritual colectiva más activa que la de sus predecesores. La segunda coordenada es la Iglesia que, desde hace cierto tiempo, está a la escucha renovada de los mensajes de la misericordia. Hablando a los sacerdotes de su diócesis de Roma, el papa Francisco dijo, en efecto, el 6 de marzo de 2014:

> Comprendemos que [...] estamos aquí [...] para escuchar la voz del Espíritu que habla a toda la Iglesia en nuestro tiempo, el cual es precisamente el tiempo de la misericordia. De esto estoy seguro. [...] Estamos viviendo el tiempo de la misericordia, desde hace 30 años o más, hasta hoy. Esta fue una intuición de Juan Pablo II. Él tuvo la visión de que este era el tiempo de la misericordia.

Ahora bien, este tiempo de la misericordia comenzó por lo menos hace treinta años, lo cual nos remite a los primeros años del pontificado de san Juan Pablo II, apóstol de la divina misericordia, especialmente gracias al mensaje de santa Faustina Kowalska. Pero el papa Francisco precisa su idea al aclarar: "Treinta años o más", y entonces podríamos proponer otra fecha para el debut de este tiempo de la misericordia. En efecto, después de más de un siglo, podemos observar en los mensajes de los Papas que se han sucedido en la Sede de Pedro, una serie de características que los llevan a hablar a menudo de la misericordia: en primer lugar, un cristocentrismo explícito —la enseñanza eclesial y la pastoral son siempre cristocéntricas, pero en la época contemporánea lo son de un modo más reflexivo—, que muestra a Cristo como presencia del amor del Padre en la historia y como objeto del amor de los hombres. En este sentido, hay una especie de hilo conductor de misericordia crística que une, por ejemplo, el anuncio del Corazón de Jesús, fundamental para el Magisterio pontificio de finales del siglo XIX con la década de 1950, el anuncio del Reino de Cristo, especialmente caro a Pío XI, la propuesta paciente y dialogante del misterio cristiano querida por los dos Papas que presidieron el Concilio Vaticano II, la civilización del amor predicada por el beato Pablo VI, la caridad exaltada por Benedicto XVI y la misericordia proclamada directamente por san Juan Pablo II y por Francisco.

A esta continuidad del Magisterio pontificio podemos aplicar, a modo de analogía, la esclarecedora observación del beato John Henry Newman sobre la historia de la espiritualidad: "La Iglesia católica nunca pierde lo que una vez ha poseído. [...] En lugar de pasar de una fase de la vida a la otra, siempre lleva consigo su juventud y su madurez hasta su vejez. [...] Santo Domingo no le hace perder a san Benito y ella los posee a los dos, siendo incluso la madre de san Ignacio" (The Mission of the Benedictine Order). La Iglesia no pierde la predicación del Corazón de Jesús cuando le presta más atención a la propagación del Reino, no pierde el deseo de la civilización del amor cuando busca convertirse a la misericordia. Al mismo tiempo, esta continuidad —fidelidad a la Palabra cuyos servidores son el Papa y el colegio de obispos— no borra la pluralidad de acentos escuchados y de medidas tomadas. En cada período, el Vicario de Cristo y Pastor de toda la Iglesia busca leer los signos de los tiempos, escuchar lo que el Espíritu les dice a las Iglesias, señalar el camino al pueblo de Dios.

Esta predicación de la misericordia con diferentes acentos tiene, pues, como efecto, o tal vez más bien como causa, un mensaje esencialmente cristocéntrico. El Magisterio pontificio antes de la época contemporánea, ciertamente, no era sólo disciplinar, pero en los dos últimos siglos adquirió un tono más pastoral y misionero que le permite hablar ante todo, y directamente, de Cristo. Esto porque el Magisterio pretende, en primer lugar, presentar a Cristo a los ojos de los hombres, y presentarlo de una manera fundamentada en la Biblia, convincente desde el punto de vista apostólico; pone en primer lugar el amor misericordioso de Dios manifestado en la historia en Jesucristo.

Estas elecciones pastorales de los Papas se insertan en un movimiento cristocéntrico más amplio en la Iglesia, que ellos sólo determinaron parcialmente: es el Espíritu Santo el que da a los fieles un instinto para encontrar —por ejemplo en la piedad popular— caminos nuevos que conducen siempre a Cristo (cfr. *Evangelii gaudium*, 31, 119, 122-126). Ilustraremos brevemente algunas manifestaciones concretas de este cristocentrismo vivido, insistiendo especialmente en dos puntos: por una parte, la espiritualidad del siglo XIX, como primicia de lo que será la del siglo XX y el debut de la del siglo XXI, que veremos con las citas magisteriales de la antología; por otra parte, el vínculo de la piedad popular con los incentivos jerárquicos.

En efecto, se ha escrito que el siglo XIX "redescubrió" a Cristo, modelando así la mentalidad católica de los dos siglos siguientes, y que descubrió un Cristo perfectamente amoroso. Podemos presentar dos ejemplos: la mayor familiaridad con la Eucaristía y la confianza en el Sagrado Corazón.

La familiaridad con el Cristo presente en la Eucaristía se difundió entre los cristianos gracias a la comunión frecuente. El movimiento se afirmó poco a poco, especialmente a partir del pontificado del beato Pío IX (1846-

1878). Los factores de este cambio progresivo son diversos. En primer lugar, hay libros que los fieles leen con predilección, como los libros sencillos y breves de monseñor Gaston Ségur (muerto en 1881), hijo de la condesa nacida en Rostopchine que escribió célebres novelas para niños. Antiguo magistrado de La Rota romana, habiendo perdido la vista y regresado a Francia, monseñor de Ségur se convirtió en uno de los confesores más visitados de París. En 1858 se encontró con el Cura de Ars, quien le dijo: "He aquí un ciego que ve con mayor claridad que nosotros... Hoy he visto un santo". Publicó varias obras de piedad, ampliamente traducidas, en especial la de 1860, La santísima comunión, que se difundió en cientos de miles de ejemplares y cuya máxima esencial era: "No comulgamos porque seamos buenos, sino para hacernos mejores". Pío IX mismo elogió el libro y lo distribuyó a los predicadores romanos para la Cuaresma de 1862.

Pero los libros sobre la comunión frecuente provenían principalmente de Italia; especialmente los libros del venerable Giuseppe Frassinetti, fundador de la Congregación de las Hijas de Santa María Inmaculada (muerto en 1868) —ante todo El banquete del divino amor (Génova, 1867)—, y sobre todo de san Juan Bosco con su El joven prevenido para la práctica de sus deberes de los ejercicios de piedad cristiana (Turín, 1847), reeditado en varias ocasiones. Esta obra y la práctica pastoral del fundador de los salesianos ilustran también un movimiento más amplio y esclarecedor: el Espíritu y la Iglesia fomentan, al mismo tiempo, la comunión y la confesión frecuentes, conscientes de los lazos que unen estos dos sacramentos (*cfr. CEC*, nn. 1457-1458).

Además de estos libros, muchos documentos pontificios también invitan a la comunión frecuente: la encíclica *Mirae caritatis* (28 de mayo de 1902), de León XIII, y, sobre todo, el decreto *Sacra tridentina synodus*, de san Pío X, sobre la comunión cotidiana (20 de diciembre de 1905). En esta dirección, la Sede Apostólica exhorta a los obispos a no excluir a los niños de la primera comunión. Bajo Pío IX, la Sagrada Congregación del Concilio corrigió las disposiciones de las conferencias locales y de los prelados franceses con respecto a este tema. El gran cambio fue obra de un decreto de Pío X, *Quam singulari* (8 de agosto de 1910): la edad indicada para la primera comunión es hacia los siete años, una edad suficiente para que el niño conozca los misterios principales de la fe y distinga el pan eucarístico del pan ordinario, disposiciones éstas contenidas en el *Catecismo* de san Pío X, que tuvo una gran difusión.

Así pues, el cristocentrismo más consciente de los fieles de los dos últimos siglos se caracteriza por su recepción más habitual de la Eucaristía. La devoción al Sagrado Corazón, sobre todo en el período comprendido entre 1800 y 1950, ofrece otro ejemplo de esta conciencia renovada de la cercanía amorosa del Dios trinitario. De acuerdo con la expresión citada a menudo por monseñor d'Hulst, primer rector del Instituto Católico de París, muerto en 1896, el siglo XIX fue, "si se lo considera desde el punto de vista místico, [...] el siglo del Sagrado Corazón".

Ciertamente existe una literatura negativa, a veces fundada en ciertas manifestaciones de esta devoción, las cuales serían dolientes y sentimentales, y presentarían a Dios Padre como si estuviera sediento de la sangre de Cristo y de los cristianos. En todo caso, sería más justo entender cómo esta devoción ha ayudado a destruir la quimera de una salvación sin la cooperación humana, propagando entre los cristianos el anhelo de adherirse libremente al amor de Dios y de difundir la salvación en el mundo, especialmente gracias a la misión apostólica y a la preocupación activa por los más pobres. Es precisamente la contemplación amorosa del Corazón de Jesús lo que ha permitido a esta pedagogía de la salvación llegar a los afectos y a la inteligencia de los fieles.

Esta devoción fue, en primer lugar, más el fruto de la libre determinación espiritual de los fieles que la consecuencia de exhortaciones jerárquicas; por el contrario, a finales del siglo XVII, motivada por la crisis quietista, la Sede Apostólica rechazó todas las novedades devocionales. Solamente a partir del siglo XVIII, la Santa Sede apoyó el culto del Sagrado Corazón, como un antídoto contra el teísmo indeterminado y las tendencias jansenistas. La fiesta litúrgica fue instituida en 1765 por Clemente XIII, a petición de los obispos polacos, y Pío IX la extendió a toda la Iglesia en 1856; Margarita María Alacoque (muerta en 1690), que vio el Sagrado Corazón de Jesús en Paray-le-Monial, fue beatificada en 1864 y luego canonizada en 1920.

En el movimiento de consagración al Sagrado Corazón, el papado siguió a los fieles, antes que precederlos. Los primeros ejemplos de consagración de una nación son, principalmente: Bélgica, en vísperas del Vaticano I, que fue consagrada al Corazón de Cristo por monseñor Víctor Augusto Bechamps; Ecuador, por su presidente Gabriel García Moreno en 1873. Sólo en un segundo momento, León XIII, atendiendo el llamado de la beata María del Divino Corazón (Droste zu Vischering), consagraría el mundo entero, como lo destaca la encíclica *Annum sacrum* (25 de mayo de 1899). Más tarde, en 1902, Colombia fue consagrada, un acto que fue renovado por el jefe de Estado, hasta 1994; después España fue consagrada, en 1919, por el rey Alfonso XIII.

La devoción al Corazón de Jesús ilustra perfectamente el paso del teísmo, a veces un poco frío, del siglo XVIII a la conciencia de la presencia amorosa de la Trinidad en el corazón de los fieles, el paso de la religión del deber a la religión del amor. Este lenguaje del sentimiento no se debe confundir con el del sentimentalismo: ha permitido el desarrollo de un cristianismo de corazón en un espíritu verdaderamente evangélico, que aún hoy en día caracteriza la piedad vivida por los cristianos.

El punto de inflexión de la frialdad al sentimiento y el debut de este tiempo de la misericordia podrían identificarse con el pontificado del beato Pío IX (1846-1878). La predicación de la misericordia divina avanzó durante su pontificado como un medio para superar las tendencias jansenistas de la espiritualidad de algunos católicos. Ya no se trata del jansenismo doctrinal del siglo XVII, sino de un jansenismo espiritual caracterizado por la severidad, el rigor de una religión imbuida de un sentido del deber que tiene ciertos rasgos de la filosofía kantiana o del victorianismo protestante. Esto se ve, por ejemplo, en los albores de la época contemporánea con el obispo italiano Escipión de Ricci y en las declaraciones de su sínodo de Pistoia (1786-1787), las cuales fueron condenadas por Pío VI con la bula *Auctorem fidei* del 28 de agosto de 1794. Ricci había mandado imprimir algunas obras de grandes autores jansenistas de Port-Royal (Antoine Arnaud o Pierre Nicole), obras contrarias a la devoción al Sagrado Corazón, que introducirían distinciones indebidas en la persona del Verbo encarnado, y otros libros que sostenían la corrupción total de la naturaleza humana a causa del pecado original y, consecuentemente, defendían una práctica penitencial rigorista. El papel importante asumido por los Papas en la formación de la espiritualidad, ayudó a apartar poco a poco las tendencias jansenizantes.

La difusión de la moral de san Alfonso María de Ligorio es una de las manifestaciones y de las causas de este rechazo al rigorismo durante el siglo XIX, especialmente entre el clero. El fundador de los redentoristas, muerto en 1787, fue beatificado en 1816, canonizado en 1839 y declarado doctor de la Iglesia en 1771. Su profunda reflexión moral, cuya difusión fue impulsada por la Sede Apostólica, permitió la superación de ciertas prácticas pastorales rigoristas en el clero. Cuando Alfonso entra a la vida clerical, en 1723, el rigorismo juega un papel importante dentro de la práctica pastoral católica, como consecuencia de la lucha contra el quietismo —la jerarquía quiere recordar los imperativos prácticos y cotidianos de la moral contra los excesos de la pseudo-mística—, pero también de la lucha contra el jansenismo; no se quiere la laxitud de la que los jansenistas acusaron a la Iglesia y especialmente a los jesuitas. San Alfonso intentó, entonces, hacer más fácil el encuentro de los fieles con el amor de Dios gracias a una piedad sencilla y tierna.

Tenemos un conocido ejemplo de la progresiva impregnación de soluciones ligorianas dentro del clero, en el santo Cura de Ars. San Juan María Vianney entró en contacto con san Alfonso gracias a su obispo, monseñor Alexandre Devie, quien en 1830 publicó una carta pastoral de elogio para la *Theologia moralis ligoriana*. El santo Cura revisó y estudió cada invierno la Teología moral, para uso de sacerdotes y confesores (1844), del cardenal Charles Gousset, arzobispo de Reims y gran divulgador de san Alfonso.

En 1839, Juan María Vianney abandonó completamente su praxis rigorista: si constataba que los penitentes estaban realmente arrepentidos, no retrasaba más la absolución; predicaba de una manera más alentadora casi siempre sobre el amor divino. Decía, por ejemplo: "Que Dios es bueno, su buen corazón es un océano de misericordia. Así pues, esos grandes pecadores que podríamos llegar a ser, ¡no desesperemos jamás de nuestra salvación! ¡Es tan fácil salvarse!"; "nuestros pecados son como granos de arena junto a la misericordia de Dios"; "¡Qué son nuestros pecados en comparación con la misericordia de Dios! Son un grano de sal frente a una montaña"; "Dios va tras el hombre y lo hace volver". O también: "Los jansenistas tienen también los sacramentos, pero no les sirven de nada porque piensan que debemos ser demasiado perfectos para recibirlos. La Iglesia sólo desea nuestra salvación; por eso, nos impone el precepto de recibir los sacramentos". El santo, entonces, combina este abandono del rigorismo con un sentido agudo de reparación de los pecados absueltos, con una aversión enérgica al pecado: "Oh, Jesús concédenos una santa aversión a nuestros pecados. Haz pasar en nuestros corazones una gota de esta amargura de la que el tuyo fue inundado. Si no podemos borrar nuestros pecados por el derramamiento de nuestra sangre, haz que por lo menos podamos llorarlos": así pues no hay que entender su abandono del rigorismo como una conversión a la laxitud.

Finalmente, si pensamos en los medios que esta devoción al Cristo sufriente y misericordioso difunde entre los cristianos, especialmente en los medios que los atraen como por instinto, porque allí reconocen la esencia del Evangelio, debemos pensar, sobre todo, en los libros devocionales más leídos. En la primera parte de la época contemporánea, hasta la década de 1950, la *Imitación de Cristo* será un ejemplo de esta literatura. En este período, la *Imitación* alcanza una audiencia jamás esperada, es el libro que lee todo cristiano, que tiene el gusto por las cosas espirituales. El apologista piamontés Joseph Maistre (muerto en 1821) la leyó; también la venerable Paulina Jaricot, fundadora de la orden de la Propagación de la Fe (muerta en 1862); el beato Federico Ozanam (muerto en 1853), cuyas Conferencias de san Vicente de Paúl, creadas en 1833, comenzaban con la lectura de este libro. La *Imitación* no influye sólo en las capas sociales más privilegiadas, sino también en las clases populares. El gran poeta provenzal, Federico Mistral, nobel de literatura, muerto en 1914, cuenta, por ejemplo, que su padre, un campesino que había luchado al lado de Napoleón, sólo había leído tres libros: el *Nuevo Testamento*, la *Imitación de Cristo* y *Don Quijote* (que le recordaba su campaña española y lo distraía cuando llegaba la lluvia).

Otra vía para llevar el anuncio de Cristo misericordioso a la puerta de todos es la predicación de misiones populares, que comienzan antes de la época contemporánea y que la Bula de convocación al Jubileo extraordinario de la Misericordia menciona explícitamente, como un medio apostólico que debe ser redescubierto. Para la Italia del siglo XVIII, el franciscano san Leonardo de Puerto Mauricio (muerto en 1751) es un paradigma: con más de 300 prédicas, atrajo de todo el mundo una cantidad extraordinaria de fieles. En sus sermones, prefería hablar de la Madre de Misericordia más que del infierno, convencido de que así era más fácil convertir a los pecadores. Construyó también cerca de 600 viacrucis y difundió la devoción al Sagrado Corazón.

***

En este contexto histórico es donde se ubican los textos pontificios de esta antología. La selección de las citas debe ser entendida como una invitación a la lectura: en muchas ocasiones hubiéramos querido transcribir todo, de modo que los cortes deben invitar al lector a buscar los originales.

Como hay otro libro de esta misma colección que trata sobre la misericordia en la Biblia, no hemos hecho aquí el análisis de los textos de la Escritura sobre este tema, propuestos muchas veces por los Papas (por ejemplo, por Juan Pablo II en la encíclica *Dives in misericordia*, especialmente en los números 4, sobre el Antiguo Testamento y 5, sobre la parábola del hijo pródigo). Dado que este libro trata sobre los Obispos de Roma, no se tomaron directamente los textos del Concilio Vaticano II sobre la misericordia, ni otros documentos importantes como el *Catecismo de la Iglesia Católica*. En cuanto al arco de tiempo considerado, se inicia con el pontificado de Pío XI (elegido el 6 de febrero de 1922) y termina con la bula del papa Francisco *Misericordiae vultus*, de convocación del Jubileo extraordinario de la Misericordia (11 de abril de 2015).

CAPÍTULO I

LA PREDICACIÓN DE LA MISERICORDIA EN LA HISTORIA DEL MAGISTERIO PONTIFICIO

La predicación que se centra en la misericordia es una etapa del Magisterio pontificio: quiere anunciar el amor de Dios y la esencia del Evangelio de un modo apropiado para nuestra época —a Juan Pablo II le gustaba subrayar esto—, como ya antes lo habían hecho los Papas al contemplar el Corazón de Cristo y animando a los cristianos a colaborar en la instauración del Reino de Dios.

El objetivo de los Papas: predicar el corazón del Evangelio

El Magisterio pretende ser el eco de la predicación del Verbo encarnado, una predicación centrada en el amor (*cfr.*, por ejemplo, Mt 22, 34-40). Esta insistencia en el amor anima especialmente el proyecto pastoral del Concilio Vaticano II, tal como lo presentaron san Juan XXIII y sus sucesores.

Pío XI. La devoción al Sagrado Corazón

La devoción al Sagrado Corazón contiene la suma de toda la religión, en cuanto facilita el amor y la imitación de Cristo. En la devoción al Sagrado Corazón, de hecho, están "contenidas la suma de toda la religión y norma de vida más perfecta como aquélla que guía los ánimos a conocer íntimamente a Cristo Señor Nuestro, e impulsa los corazones a amarlo más vehementemente y a imitarlo con más eficacia" (*Miserentissimus Redemptor*, 8 de mayo de 1928).

Juan XXIII. La misericordia y el proyecto del Concilio

Incluso antes de su elección como Papa, san Juan XXIII, Giuseppe Roncalli, manifestó su convicción de que la misericordia debía ser puesta en el centro de la vida eclesial. Así lo expresa en repetidas alusiones a la misericordia divina, en las notas íntimas tomadas durante sus ejercicios espirituales de 1940, en Terapia en el Bósforo. Allí cita la Exposición del miserere, publicada por el sacerdote jesuita Paolo Segneri, muerto en 1694, y de donde vienen algunas citas y expresiones del futuro Papa.

Martes 26 de noviembre. [...] *La gran misericordia.* No basta una misericordia cualquiera. El peso de la inequidad social y personal es tan grave que no basta un gesto de caridad ordinaria para perdonarla. Pero se invoca la gran misericordia. Ésta es proporcional a la grandeza misma de Dios. *Secundum magnitudinem ipsius, sic et misericordia illius*, "según es su grandeza, es también su misericordia". Se dice con razón que nuestras miserias son el trono de la divina misericordia. O mejor aún: el nombre y el apelativo más bello de Dios es este: misericordia. Esto debe inspirarnos en medio de las lágrimas, una gran confianza. *Superexaltat misericordia judicium,* "la misericordia siempre lleva la mejor parte en el juicio". Esto parece demasiado. Pero no debe serlo, si sobre él se fundamenta el misterio de la redención: si para conseguir un signo de predestinación y de salud, éste es indicado en el ejercicio de la misericordia (*Diario del alma*, Boloña, 2003, 350. 362-363).

Al iniciarse el Concilio Ecuménico Vaticano II, es evidente como nunca que la verdad del Señor permanece para siempre. En efecto, al pasar de un tiempo a otro, vemos cómo las opiniones de los hombres se suceden excluyéndose mutuamente y cómo los errores, luego de nacer, se desvanecen como la niebla ante el sol. Siempre la Iglesia se ha opuesto a estos errores. Frecuentemente los ha condenado con la mayor severidad. En nuestro tiempo, sin embargo, la Esposa de Cristo prefiere usar la medicina de la misericordia más que la de la severidad. Ella quiere venir al encuentro de las necesidades actuales, mostrando la validez de su doctrina más bien que renovando condenas. [...] La Iglesia católica, mientras que con este Concilio ecuménico eleva la antorcha de la verdad católica, quiere mostrarse como madre amorosísima de todos, benigna, paciente, movida por la misericordia y la bondad para con los hijos separados de ella (*Discurso para la Solemne apertura del S.S. Concilio* n. 7, 11 de octubre de 1962).

Pablo VI. La caridad, espiritualidad del Vaticano II

Queremos [...] notar cómo la religión de nuestro Concilio ha sido principalmente la caridad; y nadie podrá acusarlo de falta de religiosidad o de infidelidad al Evangelio por tal orientación fundamental, cuando recordamos que es Cristo mismo, quien nos enseña que el ser amorosos con los hermanos es el carácter distintivo de sus discípulos. [...] La antigua historia del samaritano ha sido el paradigma de la espiritualidad del Concilio. Una inmensa *simpatía* lo ha permeado enteramente [...] Una corriente de afecto y admiración se ha derramado desde el Concilio sobre el mundo moderno. Se han reprobado los errores, sí, porque esto es lo que exige la caridad, no menos que la verdad; pero para las personas sólo pido respeto y amor (*Discurso en la Última sesión pública del Concilio Vaticano II,* 7 de diciembre de 1965).

Juan Pablo II. La misión de la Iglesia es vivir y anunciar la misericordia

La Iglesia contemporánea es altamente consciente de que únicamente sobre la base de la misericordia de Dios podrá hacer realidad los cometidos que brotan de la doctrina del Concilio Vaticano II, en primer lugar, el cometido ecuménico que tiende a unir a todos los que confiesan a Cristo. Iniciando múltiples esfuerzos en tal dirección, la Iglesia confiesa con humildad que sólo ese *amor*, más fuerte que la debilidad de las divisiones humanas, *puede realizar definitivamente la unidad* por la que oraba Cristo al Padre y que el Espíritu no cesa de pedir para nosotros "con gemidos inefables" (*Dives in misericordia,* n. 13, 30 de noviembre de 1980).

Al continuar el gran cometido de hacer actual el Concilio Vaticano II, en el que podemos ver justamente una nueva fase de la autorrealización de la Iglesia —a la medida de la época en la que nos ha tocado vivir—, la Iglesia misma debe guiarse por la plena conciencia de que en esta obra no le es lícito, en modo alguno, replegarse sobre sí misma. La *razón* de su ser es, en efecto, la de *revelar a* Dios, esto es, al Padre que nos permite "verlo" en Cristo. Por más fuerte que sea la resistencia de la historia humana, por más marcada que sea la heterogeneidad de la civilización contemporánea, por más grande que sea la negación de Dios en el mundo, tanto más grande debe ser la proximidad a este misterio que, escondido desde los siglos en Dios, ha sido realmente participado al hombre en el tiempo a través de Jesucristo (*Dives in misericordia*, n. 15).

Benedicto XVI. El Concilio y el posconcilio, el amor al corazón del anuncio de la Iglesia

Siguiendo las enseñanzas del Concilio Vaticano II y de mis venerados predecesores Juan XXIII, Pablo VI, Juan Pablo I y Juan Pablo II, estoy convencido de que la humanidad contemporánea necesita este mensaje esencial, encarnado en Cristo Jesús: Dios es amor. Todo debe partir de esto y todo debe llevar a esto: toda actividad pastoral, todo tratado teológico (*Homilía. Basílica de San Pedro en Ciel d'Oro, Pavía* 22 de abril de 2007).

Francisco. La misericordia es la fuerza gozosa que nos hace salir del pecado

¡Dios es alegre! ¿Y cuál es la alegría de Dios? La alegría de Dios es perdonar, ¡la alegría de Dios es perdonar! [...] ¡Aquí está todo el Evangelio! ¡Aquí! ¡Aquí está todo el Evangelio, está todo el cristianismo! [...] La misericordia es la verdadera fuerza que puede salvar al hombre y al mundo del "cáncer" que es el pecado, el mal moral, el mal espiritual. Sólo el amor llena los vacíos, las vorágines negativas que el mal abre en el corazón y en la historia. Sólo el amor puede hacer esto, y ésta es la alegría de Dios [...] ¿Cuál es el peligro? Es que presumamos de ser justos, y juzguemos a los demás. Juzgamos también a Dios, porque pensamos que debería castigar a los pecadores, condenarlos a muerte, en lugar de perdonar. Entonces sí que nos arriesgamos a permanecer fuera de la casa del Padre (*Ángelus*, 15 de septiembre de 2013).

Jesucristo es el rostro de la misericordia del Padre. El misterio de la fe cristiana parece encontrar su síntesis en esta palabra. [...] Jesús de Nazaret, con su Palabra, con sus gestos y con toda su persona revela la misericordia de Dios. Siempre tenemos necesidad de contemplar el misterio de la misericordia. Es fuente de alegría, de serenidad y de paz. Es condición para nuestra salvación. Misericordia: es la palabra que nos revela el misterio de la Santísima Trinidad. Misericordia: es el acto último y supremo con el cual Dios viene a nuestro encuentro. Misericordia: es la ley fundamental que habita en el corazón de cada persona cuando mira con ojos sinceros al hermano que encuentra en el camino de la vida. Misericordia: es la vía que une a Dios y al hombre, porque abre el corazón a la esperanza de ser amados para siempre, a pesar del límite de nuestro pecado (*Misericordiae vultus*, nn. 1-2, 11 de abril de 2015).

La misericordia y el corazón del Evangelio del Magisterio pontificio

Desde hace un siglo, los Papas han utilizado diferentes expresiones para presentar la esencia del Evangelio a los hombres de su tiempo: pensemos, especialmente, en el Sagrado Corazón de Jesús, en el Reino de Dios, en la misericordia, etc. Aquí presentaremos algunas de estas manifestaciones, escogidas de entre los pasajes donde los pontífices mismos analizan estas formulaciones como algo paralelo. Todas llevan hacia Cristo y encuentran su unidad en una meta común.

Pío XI. Su programa de instauración del Reino de Cristo

Pío XI observa que su programa de instauración del Reino de Cristo se relaciona con la restauración de todo en Cristo, promovida por Pío X, y con la obra de pacificación desarrollada por Benedicto XV.

> Es pues evidente que la verdadera paz de Cristo no puede ser otra cosa que el Reino de Cristo: *la paz de Cristo en el Reino de Cristo;* también es evidente que, al procurar la restauración del Reino de Cristo, haremos juntos el trabajo más necesario y más eficaz en pro de una pacificación estable. Así, cuando Pío X se propone *restaurar todo en Cristo*, preparaba, casi como por inspiración divina, la primera base necesaria para la *obra de pacificación* que debía ser el programa y la ocupación primordial de Benedicto XV. Y estos dos programas de nuestros antecesores, los conjugamos Nosotros en uno solo: la restauración del Reino de Cristo por la pacificación en Cristo: *la paz de Cristo en el Reino de Cristo* (*Ubi arcano*, n. 49, 23 de diciembre de 1922).

Pío XII. El anuncio de Cristo es la predicación del culto a su Corazón y de su Reino

El designio arcano del Señor nos ha confiado, sin ningún mérito de nuestra parte, la altísima dignidad y el mayor cuidado del sumo pontificado precisamente en el año en el que se cumple el cuadragésimo aniversario de la consagración de la humanidad al Sacratísimo Corazón del Redentor, hecha por nuestro inmortal predecesor León XIII, en el ocaso del siglo pasado y en el umbral del Año Santo. [...] ¿Cómo no sentir hoy un profundo reconocimiento hacia la Providencia, que ha querido hacer coincidir nuestro primer año de pontificado con un recuerdo semejante; cómo no aprovechar con alegría la ocasión para hacer del culto al "Rey de reyes y Señor de los señores" (1Tim 6, 15; Ap 19, 16) la oración de introducción de nuestro pontificado, en el espíritu de nuestro inolvidable predecesor como fiel realización de sus intenciones? ¿Cómo no hacer de esto el alfa y la omega de nuestro deseo y de nuestra esperanza, de nuestra enseñanza y de nuestra actividad, de nuestra paciencia y de nuestros sufrimientos, consagrados todos a la difusión del Reino de Cristo? (*Summi Pontificatus*, sobre el programa del pontificado, 20 de octubre de 1939).

Pablo VI. Construir la civilización del amor significa instaurar el Reino de Dios

[El Papa busca] fórmulas fecundas que nos placerá cultivar para que presidan el estilo y el programa de nuestra renovación cristiana [...]. Ya hemos lanzado fugazmente una fórmula, cuando nos propusimos buscar en la "civilización del amor" el fruto religioso, moral y civil del Año Santo. [...] Pero también hay otras fórmulas óptimas y fecundas, en las cuales podemos condensar, como en semillas destinadas a desarrollos maravillosos, la fuerza genética de un cristianismo siempre nuevo y vivo. [...] En este importante momento de nuestra maduración espiritual, podemos volver a la fórmula original del anuncio evangélico, fórmula que siempre tenemos en los labios y en el corazón cada vez que recitamos la gran oración del Padrenuestro, y hacemos nuestro el tema de la primera predicación de Jesucristo mismo: venga a nosotros tu Reino (*Audiencia general*, 14 de enero de 1976).

Juan Pablo II. *El Reino de Cristo es el reino del amor misericordioso*

¡Cuán grande es el poder del Amor misericordioso, que esperamos hasta cuando Cristo no haya puesto a todos sus enemigos bajo sus pies, venciendo hasta el fondo el pecado y anulando, como último enemigo, la muerte! El Reino de Cristo es una tensión hacia la victoria definitiva del Amor misericordioso, hacia la plenitud escatológica del bien y de la gracia, de la salvación y de la vida. Esta plenitud tiene su comienzo visible en la tierra, en la cruz y en la resurrección. Cristo, crucificado y resucitado, es la revelación profunda y auténtica del Amor misericordioso. Él es el rey de nuestros corazones. [...] Esto es, pues, el reino del amor hacia el hombre, del amor en la verdad; y por eso es el reino del Amor misericordioso. Este reino es el don "preparado desde la fundación del mundo", don del Amor. Es también fruto del Amor, que en el curso de la historia del hombre y del mundo, constantemente se abre camino a través de las barreras de la indiferencia, del egoísmo, de la apatía y del odio; a través de las barreras de la concupiscencia de la carne, de los ojos y de la soberbia de la vida (*cfr*. Jn 2, 16) a través de la instigación del pecado que todo hombre lleva en sí mismo, a través de la historia de los pecados humanos y de los crímenes, como, por ejemplo, los que pesan sobre nuestro siglo y sobre nuestra generación... a través de todo esto (*Homilía, Santa Misa en el Santuario del Amor Misericordioso*, Collevalenza, nn. 2.6, 22 de noviembre de 1981).

A través del corazón de Cristo crucificado la misericordia divina llega a los hombres: "Hija mía, di que soy el Amor y la Misericordia en persona", pedirá Jesús a sor Faustina (*Diario*, p. 374). Cristo derrama esta misericordia sobre la humanidad mediante el envío del Espíritu que, en la Trinidad, es la Persona-Amor. Y, ¿acaso no es la misericordia un "segundo nombre" del amor (*cfr. Dives in misericordia* 7), entendido en su aspecto más profundo y tierno, en su actitud de aliviar cualquier necesidad, sobre todo en su inmensa capacidad de perdón? (*Homilía, Canonización de la beata María Faustina Kowalska*, n. 2, 30 de abril de 2000). Es preciso hacer que el mensaje del Amor misericordioso resuene con nuevo vigor. El mundo necesita este amor. Ha llegado la hora de difundir el mensaje de Cristo a todos, especialmente a aquéllos cuya humanidad y dignidad parecen perderse en el *Mysterium iniquitatis*. Ha llegado la hora en la que el mensaje de la misericordia divina derrame en los corazones la esperanza y se transforme en chispa de una nueva civilización: la civilización del amor (*Homilía beatificación de cuatro Siervos de Dios,* Cracovia, n. 3, 18 de agosto de 2002).

Francisco. *Tener un corazón misericordioso como el Sagrado Corazón*

Tener un corazón misericordioso no significa tener un corazón débil. Quien desea ser misericordioso necesita un corazón fuerte, firme, cerrado al tentador, pero abierto a Dios. Un corazón que se deje impregnar por el Espíritu y guiar por los caminos del amor que nos llevan a los hermanos y hermanas. En definitiva, un corazón pobre, que conoce sus propias pobrezas y lo da todo por el otro. Por esto, queridos hermanos y hermanas, deseo orar con ustedes a Cristo en esta Cuaresma: *Fac cor nostrum secundum Cor tuum* ("haz nuestro corazón semejante al tuyo", súplica de las Letanías al Sagrado Corazón de Jesús). De este modo tendremos un corazón fuerte y misericordioso, vigilante y generoso, que no se deja encerrar en sí mismo ni cae en el vértigo de la globalización de la indiferencia (*Mensaje para la Cuaresma 2015*, n. 3, 4 de octubre de 2014).

La salvación no comienza con la confesión de la realeza de Cristo, sino con la imitación de sus obras de misericordia a través de las cuales Él realizó el Reino. Quien las realiza demuestra haber acogido la realeza de Jesús, porque hizo espacio en su corazón a la caridad de Dios. Al atardecer de la vida seremos juzgados en el amor, en la proximidad y en la ternura hacia los hermanos (*Homilía, Ceremonia de canonización de seis beatos*, 23 de noviembre de 2014).

La misericordia divina en el Magisterio y en la vida de Juan Pablo II

San Juan Pablo II ha dicho que el mensaje de la misericordia divina daba forma a la imagen de su pontificado; Benedicto XVI y Francisco se han hecho eco de esta centralidad de la misericordia en el Magisterio de su predecesor.

La difusión de la devoción a la divina misericordia es un signo de los tiempos

Es realmente maravilloso el modo en el cual la devoción a Jesús misericordioso se abre camino en el mundo contemporáneo y conquista muchos corazones humanos. Esto es, sin duda, un signo de los tiempos, un signo de nuestro siglo XX. El balance

31

de este siglo que está declinando presenta, más allá de las conquistas, que en muchas ocasiones han superado las de las épocas precedentes, una profunda inquietud y miedo con respecto al porvenir. ¿Dónde, si no es en la divina misericordia, puede el mundo encontrar el refugio y la luz de la esperanza? ¡Los creyentes intuyen esto a la perfección! (*Homilía, Beatificación,* n. 6, 8 de abril de 1993).

El mensaje de la divina misericordia da forma a la imagen del pontificado de Juan Pablo II

Siempre he sentido cercano el mensaje de la divina misericordia, es como si la historia lo hubiera inscrito en la trágica experiencia de la Segunda Guerra mundial. En esos años difíciles, fue un *apoyo particular y una fuente inagotable de esperanza* no sólo para los habitantes de Cracovia, sino también para la nación entera. Ésta ha sido también mi experiencia personal, que he llevado conmigo a la Sede de Pedro y que, en cierto sentido, forma la imagen de este pontificado (*Discurso a las hermanas de la Bienaventurada Virgen María de la Misericordia,* Santuario de la Divina Misericordia, n. 1, 7 de junio de 1997).

El mensaje de la divina misericordia confiado al tercer milenio, para transformar la humanidad

¿Cómo será el futuro del hombre en la tierra? No podemos saberlo. Sin embargo, es cierto que, además de los nuevos progresos, no faltarán, por desgracia, experiencias dolorosas. Pero la luz de la misericordia divina, que el Señor quiso volver a entregar al mundo mediante el carisma de sor Faustina, iluminará el camino de los hombres del tercer milenio. [...] La canonización de sor Faustina tiene una elocuencia particular: con este acto quiero transmitir hoy este mensaje al nuevo milenio. Lo transmito a todos los hombres para que aprendan *a conocer cada vez mejor el verdadero rostro de Dios y el verdadero rostro de los hermanos*. El amor a Dios y el amor a los hermanos son, efectivamente, inseparables (*Homilía, Canonización de la beata María Faustina Kowalska*, nn. 3. 5, 30 de abril de 2000).

La misericordia divina, única fuente de esperanza ante el mal

No existe otra fuente de esperanza para el hombre fuera de la misericordia de Dios. Deseamos repetir con fe: *Jesús, confío en ti*. De este anuncio, que expresa la confianza en el amor omnipotente de Dios, tenemos particularmente necesidad en nuestro tiempo, en el que el hombre se siente perdido ante las múltiples manifestaciones del mal. Es preciso que *la invocación de la misericordia de Dios* brote de lo más íntimo de los corazones llenos de sufrimiento, de temor e incertidumbre, pero al mismo tiempo, en busca de una fuente infalible de esperanza. Por eso, venimos hoy aquí, al santuario de Łagiewniki, para redescubrir en Cristo el rostro del Padre: de aquél que es Padre misericordioso y Dios de toda consolación" (2Co 1, 3). "Con los ojos del alma deseamos contemplar los ojos de Jesús misericordioso, para redescubrir en la profundidad de esta mirada el reflejo de su vida, así como la luz de la gracia que hemos recibido ya tantas veces, y que Dios nos reserva para todos los días y para el último día" (*Homilía, Santa Misa de Consagración del Santuario de la Divina Misericordia en Cracovia – Łagiewniki*, n. 1, 17 de agosto de 2002).

Con respecto a las palabras de esta homilía, Benedicto XVI dice: "Fueron como una síntesis del Magisterio de Juan Pablo II, y evidencian que el culto de la misericordia divina no es una devoción secundaria, sino una dimensión integral de la fe y de la oración del cristiano" (*Regina Coeli*, 23 de abril de 2006).

Juan Pablo II ora por la difusión del mensaje del amor misericordioso

Quiero solemnemente consagrar el mundo a la misericordia divina. Lo hago con el deseo ardiente de que el mensaje del amor misericordioso de Dios, proclamado aquí a través de santa Faustina, llegue a todos los habitantes de la tierra y llene su corazón de esperanza. [...] Ojalá se cumpla la firme promesa del Señor Jesús: "de aquí debe salir la chispa que preparará al mundo para su última venida" (*cfr. Diario*, 1732, ed. it., p. 568). Es preciso encender esta chispa de la gracia de Dios. Es preciso transmitir al mundo este fuego de la misericordia. En la misericordia de Dios el mundo encontrará la paz, y el hombre, la felicidad (*Homilía, Santa Misa de consagración del Santuario de la Misericordia en Cracovia- Łagiewniki*, n. 5, 17 de agosto de 2002).

La enseñanza de Juan Pablo II sobre la misericordia, fruto de su experiencia pastoral en Polonia y de su análisis del siglo XX

También las reflexiones incluidas en *Dives in misericordia* eran fruto de mi experiencia pastoral en Polonia, especialmente

34

en Cracovia. De hecho, allí está la tumba de santa Faustina Kowalska, a quien Cristo concedió ser intérprete, especialmente iluminada, de la verdad sobre la divina misericordia. [...] Hablo de esto porque las revelaciones de sor Faustina, concentradas en el misterio de la divina misericordia, se refieren al período que precede a la Segunda Guerra Mundial. Es precisamente el tiempo en el cual nacieron y se desarrollaron las ideologías del mal, del nazismo y el comunismo. Sor Faustina llegó a ser portadora del anuncio según el cual, la única verdad capaz de balancear el mal de esas ideologías es que Dios es misericordia, la verdad del Cristo misericordioso. Por esto, cuando fui llamado a la Sede de Pedro, sentí la necesidad imperiosa de transmitir las experiencias que tuve en mi país natal, pero que pertenecen al tesoro de la Iglesia universal (*Memoria e identidad*, Milán, 2005).

El mensaje recibido por santa Faustina, Evangelio de la divina misericordia escrito según la perspectiva del siglo XX

A los sobrevivientes de la Segunda Guerra Mundial, las palabras consignadas en el *Diario* de santa Faustina les parecen como un particular Evangelio de la divina misericordia, escrito según la perspectiva del siglo XX. Sus contemporáneos comprendieron este mensaje. Lo comprendieron precisamente a través de la dramática acumulación del mal durante la Segunda Guerra Mundial y a través de la crueldad de los sistemas totalitarios. Fue como si Cristo hubiera querido revelar que el límite impuesto por el mal, del cual el hombre es artífice y víctima, es, en definitiva, la divina misericordia. Ciertamente, en ella, está también la justicia, pero ésta por sí sola no constituye la última palabra de la economía divina en la historia del mundo y en la historia del hombre. Dios siempre sabe sacar el bien del mal, Dios quiere que todos seamos salvos y podamos alcanzar el conocimiento de la verdad (*cfr.* 1Tim 2, 4): Dios es amor (*cfr.* 1Jn 4, 8). Cristo crucificado y resucitado, tal como se le apareció a sor Faustina, es la suprema revelación de esta verdad (*Memoria e identidad*, Milán, 2005).

El mensaje de la misericordia en la vida de Juan Pablo II: el poder que pone un límite al mal en el mundo es la misericordia manifestada en la cruz

[Juan Pablo II] nos dejó una interpretación del sufrimiento que no es una teoría teológica o filosófica, sino un fruto madurado a lo largo de su camino personal de sufrimiento, que recorrió con el apoyo de la fe en el Señor crucificado. Esta interpretación, que él había elaborado en la fe y que daba sentido a su sufrimiento vivido en comunión con el del Señor, hablaba a través de su mudo dolor, transformándolo en un gran mensaje. [...] El Papa se muestra profundamente impresionado por el espectáculo del poder del mal que, en el siglo recién concluido, pudimos experimentar de modo dramático. [...] ¿Existe un límite contra el cual se estrella la fuerza del mal? Sí, existe, responde el Papa [...]. El poder que pone un límite al mal es la misericordia divina. [...] En la mirada retrospectiva sobre el atentado del 13 de mayo de 1981, y también basándose en la experiencia de su camino con Dios y con el mundo, Juan Pablo II profundizó aún más esta respuesta. El límite del poder del mal, la fuerza que, en última instancia lo vence es —así él nos dice— el sufrimiento de Dios, el sufrimiento del Hijo de Dios en la cruz (Benedicto XVI, *Discurso a los miembros de la Curia y de la Prelatura romana*, 22 de diciembre de 2005).

El tiempo de la misericordia: una intuición querida por el Espíritu y recogida por Juan Pablo II

Estamos aquí [...] para escuchar la voz del Espíritu que habla a toda la Iglesia en este tiempo nuestro, que es precisamente el tiempo de la misericordia. De esto estoy seguro. [...] Estamos viviendo en tiempo de misericordia, desde hace 30 años o más, hasta ahora. Ésta fue una intuición de Juan Pablo II. Él tuvo el "olfato" de que éste era el tiempo de la misericordia. [...] Los grandes contenidos, las grandes intuiciones y los legados dejados al pueblo de Dios no podemos olvidarlos. Y el de la divina misericordia es uno de ellos. Es un legado que Juan Pablo II nos ha dado, pero que viene de lo alto (Francisco, *Discurso a los párrocos de Roma*, 6 de marzo de 2014).

CAPÍTULO II

EN LAS FUENTES DE LA MISERICORDIA DIVINA

Las citas anteriores nos han recordado algunas certezas del Magisterio pontificio reciente: el corazón de nuestros contemporáneos —y, en primer lugar, el de los cristianos— se dirigirá cada vez más a Dios, si la Iglesia sabe anunciar con mayor claridad el amor misericordioso del Señor. Es por esto que los Papas animan a los hombres de este tiempo a descubrir la lógica misericordiosa de la historia de la salvación y especialmente la del misterio pascual. Para acercarse al amor divino, es necesario comprender y experimentar cómo Dios interviene en la historia en favor de los hombres, ante todo, en la cruz.

La misericordia viene de Dios

Pío XII. La unión de la misericordia con la justicia es ilustrada por el Misterio Pascual

> El misterio de la redención es un misterio del amor misericordioso de la augusta Trinidad y del Divino Redentor hacia la humanidad entera, puesto que, siendo ésta del todo incapaz de

ofrecer a Dios una satisfacción digna por sus propios delitos, Cristo, mediante la inescrutable riqueza de méritos, que nos ganó con la efusión de su preciosísima Sangre, pudo restablecer y perfeccionar aquel pacto de amistad entre Dios y los hombres, violado por vez primera en el paraíso terrenal por culpa de Adán y luego innumerables veces por las infidelidades del pueblo escogido. Por lo tanto, el Divino Redentor, en su cualidad de legítimo y perfecto Mediador nuestro, al haber conciliado bajo el estímulo de su caridad ardentísima hacia nosotros los deberes y obligaciones del género humano con los derechos de Dios, ha sido, sin duda, el autor de aquella maravillosa reconciliación entre la divina justicia y la divina misericordia, que constituye esencialmente el misterio trascendente de nuestra salvación (*Haurietis aquas*, 15 de mayo de 1956).

Pablo VI. *Miseria humana y misericordia divina: el ámbito de la historia de la salvación*

En el siguiente texto, Pablo VI desarrolla una intuición de san Agustín que cita muchas veces y le permite resumir la historia de la salvación, la historia del encuentro entre la miseria del hombre y la misericordia de Dios. Este texto ofrece una esclarecedora introducción a esta parte de nuestra antología. La miseria del pecado y del mal encuentra en Cristo el designio divino de misericordia, con el cual el hombre colabora con su penitencia.

San Agustín nos ofrece la fórmula, no sólo verbal sino real, humana y teológica, y que se resume en las dos formidables palabras: miseria y misericordia. Al hablar de miseria, pretendemos hablar del pecado, tragedia humana que se desarrolla en la historia del mal, abismo oscuro que precipita hacia una temible ruina. El pecado: [...] ahora es pertinente poner bajo un lente esclarecedor esta noción, la cual ocupa el lugar de la bisagra inferior y negativa de toda la concepción cristiana de la existencia humana, y esto es oportuno porque las ideologías teóricas y prácticas del mundo contemporáneo, intentan suprimir el nombre y la realidad del pecado del mundo moderno. Pero otra verdad es la que se impone; otra suerte le es reservada al hombre, por la llegada de un designio divino gratuito, omnipotente e inefable: la misericordia. A la miseria del hombre viene en ayuda la misericordia divina. Y ustedes saben con cuántas bendiciones: "Donde abundó el pecado sobreabundó la gracia" (Rm 5, 20). Y, también lo saben, con amor imprevisible: Cristo, el Verbo de Dios hecho hombre, asumió sobre sí mismo la misión redentora. "Él que no conocía el pecado, se hizo pecado por nosotros, a fin de que nos hiciéramos justicia de Dios en Él" (*cfr.* 2Co 5, 21). Esto es, se ofreció como víctima de expiación en nuestro lugar, consiguiendo para nosotros una restitución al estado de gracia, es decir, a la participación sobrenatural en la vida de Dios. [...] Para nosotros, entrar en este plano significa hacer penitencia, es decir, conocer, aceptar y revivir esta economía de la salvación. ¿Qué hay más grande, más necesario y, en el fondo, más bello, más fácil, más feliz? (*Audiencia general*, 20 de marzo de 1974).

Fijen su pensamiento, hoy más que nunca, para que se vuelva habitual y siempre inspirador, en el hecho misterioso y central de nuestra fe, en la presencia del Hijo de Dios, hecho hombre, entre nosotros; misterio de la Encarnación, que nos autoriza a repetir el verdadero nombre de Jesús, nacido de María y habitante de Nazaret, el nombre de "Dios con nosotros" (*cfr.* Is 7, 14; Mt 1, 23). *Nobiscum Deus!* Entonces vemos cómo bajo este apelativo, propio de Jesús, se concentra el designio, el sentido de la venida a este mundo, la intención directriz de su aparición entre nosotros, los hombres, en la historia de la humanidad: esta intención se resuelve en un nombre, tan común y a veces tan profanado, que se eleva a la cima de la divinidad; este nombre es amor. [...] La historia de Jesús debe ser vista a la luz de esto: "Él me ha amado", escribe san Pablo, y cada uno de nosotros puede y debe repetirlo para sí: Él me ha amado y "se ha sacrificado a sí mismo por mí" (Gál 2, 20), (*Corpus Domini*, 13 de junio de 1974).

La redención supone una condición infeliz de la humanidad para la cual ha sido destinada; supone el pecado. Y el pecado es una historia extremadamente larga y complicada, supone la caída de Adán, supone una herencia que traspasa con el nacimiento mismo un estado de privación de la gracia, es decir de la relación sobrenatural del hombre con Dios; supone en nosotros una disfunción psico-moral que nos lleva a nuestros pecados personales; supone la pérdida de la plenitud de vida a la cual Dios nos había destinado más allá de las exigencias de nuestro ser natural; supone, pues, una necesidad de expiación y de reparación, imposibles con nuestras propias fuerzas; supone la advertencia de una justicia implacable considerada en sí misma; supone una concepción de por sí pesimista de la suerte humana; supone una derrota de la vida y un macabro triunfo de la muerte. Supone, más aún, reclama un designio de misericordia divina, divinamente restaurador. Y este es el gran anuncio de Cristo entrando en el mundo: *¡Vendré!* (*cfr.* Heb 10, 5-10). Jesús viene como Salvador, como Redentor, es decir, como Aquél que paga, que satisface por toda la humanidad, por nosotros. Intentemos sondear el significado de esta palabra: víctima. Jesús viene al mundo como la víctima de expiación, como la síntesis de la justicia cumplida y de la misericordia reparadora (*Audiencia general,* 29 de marzo de 1972).

Juan Pablo II. Cristo hace presente al Padre como misericordia

En Cristo y por Cristo, se hace también particularmente visible Dios en su misericordia, esto es, se pone de relieve el atributo de la divinidad, que ya el Antiguo Testamento, sirviéndose de diversos conceptos y términos, definió "misericordia". Cristo confiere un significado definitivo a toda la tradición veterotestamentaria de la misericordia divina. No sólo habla de ella y la explica usando semejanzas y parábolas, sino que además, y ante todo, él mismo la encarna y personifica. Él mismo es, en cierto sentido, la misericordia. A quien la ve y la encuentra en él, Dios se hace concretamente "visible" como Padre "rico en misericordia" (Ef 2, 4) (*Dives in misericordia,* n. 2, 30 de noviembre de 1980).

La Cruz sobre el Calvario, por medio de la cual Jesucristo —hombre, hijo de María Virgen, hijo adoptivo de José de Nazaret— "deja" este mundo, es al mismo tiempo una nueva manifestación de la eterna paternidad de Dios, el cual se acerca de nuevo en Él a la humanidad, a todo hombre, dándole el tres veces santo "Espíritu de verdad". Con esta revelación del Padre y con la efusión del Espíritu Santo, que marcan un sello imborrable en el misterio de la Redención, se explica el sentido de la cruz y de la muerte de Cristo. El Dios de la creación se revela como Dios de la redención, como Dios que es "fiel a sí mismo", fiel a su amor al hombre y al mundo, ya revelado el día de la creación. El suyo es amor que no retrocede ante nada de lo que en él mismo exige la justicia. Y por esto al Hijo "a quien no conoció el pecado, le hizo pecado por nosotros para que en Él fuéramos justicia de Dios". Si "trató como pecado" a Aquél que estaba absolutamente sin pecado alguno, lo hizo para revelar el amor que es siempre más grande que todo lo creado, el amor que es

Él mismo, porque "Dios es amor". Y sobre todo el amor es más grande que el pecado, que la debilidad, que la "vanidad de la creación", más fuerte que la muerte; es amor siempre dispuesto a aliviar y a perdonar, siempre dispuesto a ir al encuentro con el hijo pródigo, siempre a la búsqueda de la "manifestación de los hijos de Dios", que están llamados a la gloria. Esta revelación del amor es definida también misericordia, y tal revelación del amor y de la misericordia tiene en la historia del hombre una forma y un nombre: se llama Jesucristo (*Redemptor hominis*, n. 9, 4 de marzo de 1979).

La redención es la revelación última y definitiva de la santidad de Dios, que es la plenitud absoluta de la perfección: plenitud de la justicia y del amor, ya que la justicia se funda sobre el amor, mana de él y tiende hacia él. En la pasión y muerte de Cristo —en el hecho de que el Padre no perdonó la vida a su Hijo, sino que lo "hizo pecado por nosotros"— se expresa la justicia absoluta, porque Cristo sufre la pasión y la cruz a causa de los pecados de la humanidad. Esto es incluso una "sobreabundancia" de la justicia, ya que los pecados del hombre son "compensados" por el sacrificio del Hombre-Dios. Sin embargo, tal justicia, que es propiamente justicia "a medida" de Dios, nace toda ella del amor: del amor del Padre y del Hijo, y fructifica toda ella en el amor. Precisamente por esto la justicia divina, revelada en la cruz de Cristo, es "a medida" de Dios, porque nace del amor y se completa en el amor, generando frutos de salvación. La dimensión divina de la redención no se actúa solamente haciendo justicia del pecado, sino restituyendo al amor su fuerza creadora en el interior del hombre, gracias a la cual él tiene acceso de nuevo a la plenitud de vida y de santidad, que viene de Dios. De este modo la redención comporta la revelación de la misericordia en su plenitud (*Dives in misericordia,* n. 7).

Benedicto XVI. La cruz nos revela la gravedad del pecado y la fuerza transformadora de la misericordia

Contemplando al Crucificado con los ojos de la fe, podemos comprender en profundidad qué es el pecado, cuán trágica es su gravedad y, al mismo tiempo, cuán inconmensurable es la fuerza del perdón y de la misericordia del Señor. [...] Contemplando a Cristo, sintámonos al mismo tiempo contemplados por él. Aquél a quien nosotros mismos hemos atravesado con nuestras culpas, no se cansa de derramar en el mundo un torrente inagotable de amor misericordioso. Ojalá que la humanidad comprenda que solamente de esta fuente es posible sacar la energía espiritual indispensable para construir la paz y la felicidad que todo ser humano busca sin cesar (*Ángelus*, 25 de febrero de 2007).

Francisco. Jesús es la misericordia encarnada

Jesucristo es el amor de Dios encarnado, la Misericordia encarnada (*Regina Coeli*, 7 de abril de 2013).

Después de que Jesús vino al mundo, no se puede actuar como si no conociéramos a Dios. Como si fuese una cosa abstracta, vacía, de referencia puramente nominal; no, Dios tiene un rostro concreto, tiene un nombre: Dios es misericordia (*Ángelus*, 18 agosto 2013).

Con la mirada fija en Jesús y en su rostro misericordioso podemos percibir el amor de la Santísima Trinidad. La misión que Jesús ha recibido del Padre ha sido la de revelar el misterio del amor divino en plenitud. "Dios es amor" (1Jn 4,8.16), afirma por la primera y única vez en toda la Sagrada Escritura el evangelista Juan. Este amor se ha hecho ahora visible y tangible en toda la vida de Jesús. Su persona no es otra cosa sino amor. Un amor que se dona gratuitamente. Sus relaciones con las personas que se le acercan dejan ver algo único e irrepetible. Los signos que realiza, sobre todo hacia los pecadores, hacia las personas pobres, excluidas, enfermas y sufrientes llevan consigo el distintivo de la misericordia. En Él todo habla de misericordia. Nada en Él es falto de compasión (*Misericordiae vultus*, n. 8, 11 de abril de 2015).

Cuando dirigimos la mirada a la cruz donde Jesús estuvo clavado, contemplamos el signo del amor, del amor infinito de Dios por cada uno de nosotros y la raíz de nuestra salvación. De esa cruz brota la misericordia del Padre, que abraza al mundo entero. Por medio de la cruz de Cristo ha sido vencido el Maligno, ha sido derrotada la muerte, se nos ha dado la vida, devuelto la esperanza (*Ángelus* 14 de septiembre de 2014).

El Corazón de Cristo, expresión de la lógica misericordiosa de Dios

La devoción al Sagrado Corazón resume de manera pedagógica cómo la misericordia viene del Padre, cómo se revela perfectamente en la muerte del Verbo encarnado en la cruz, y cómo el hombre puede asociarse a ella libremente. Esta devoción fue una vía privilegiada de la predicación pontificia desde finales del siglo XIX hasta los años 1950, y aún hoy conserva su actualidad, puesto que expresa sintéticamente el contenido de toda la espiritualidad cristiana.

Pío XI. Contemplar el Sagrado Corazón para comprender el designio misericordioso de Dios y querer hacer reparación por todos los pecados

La expiación, purificándonos de las culpas, da principio a la unión misma, y con la participación de los sufrimientos de Cristo la perfecciona, y con la oblación de los sacrificios en favor de los hermanos, la lleva a la perfección. Tal fue, ciertamente, el designio del misericordioso Jesús cuando quiso descubrirnos su Corazón con los emblemas de su pasión y echando de sí llamas de caridad: que mirando, de una parte, la malicia infinita del pecado, y, admirando, de otra, la infinita caridad del Redentor, más vehementemente detestásemos el pecado y más ardientemente correspondiésemos a su caridad. Y ciertamente en el culto al Sacratísimo Corazón de Jesús tiene la primacía y la parte principal el espíritu de expiación y reparación; ni hay nada más conforme con el origen, índole, virtud y prácticas propias de esta devoción (*Miserentissimus Redemptor*, 8 de mayo de 1928).

Pío XII. El Corazón de Cristo es la síntesis de la redención porque muestra la misericordia divina

En el Corazón [...] de nuestro Salvador podemos considerar no sólo el símbolo, sino también, en cierto modo, la síntesis de todo el misterio de nuestra redención. [...] Las revelaciones de que fue favorecida santa Margarita María ninguna nueva verdad añadieron a la doctrina católica. Su importancia consiste en que —al mostrar el Señor su Corazón Sacratísimo— de modo extraordinario y singular quiso atraer la consideración de los hombres a la contemplación y a la veneración del amor tan

47

misericordioso de Dios al género humano. De hecho, mediante una manifestación tan excepcional, Jesucristo expresamente y en repetidas veces mostró su Corazón como el símbolo más apto para estimular a los hombres al conocimiento y a la estima de su amor; y al, mismo tiempo, lo constituyó como señal y prenda de su misericordia y de su gracia para las necesidades espirituales de la Iglesia en los tiempos modernos (*Haurietis aquas*, 15 de mayo de 1956).

Benedicto XVI. La devoción al Sagrado Corazón expresa el contenido de toda verdadera espiritualidad cristiana

Este misterio del amor que Dios nos tiene, no sólo constituye el contenido del culto y de la devoción al Corazón de Jesús: es, al mismo tiempo, el contenido de toda verdadera espiritualidad y devoción cristiana. [...] Quien acepta el amor de Dios interiormente queda modelado por él. El hombre vive la experiencia del amor de Dios como una "llamada" a la que tiene que responder. La mirada dirigida al Señor, que "tomó sobre sí nuestras flaquezas y cargó con nuestras enfermedades" (Mt 8, 17), nos ayuda a prestar más atención al sufrimiento y a las necesidades de los demás. La contemplación, en la adoración, del costado traspasado por la lanza, nos hace sensibles a la voluntad salvífica de Dios. Nos hace capaces de abandonarnos a su amor salvífico y misericordioso, y al mismo tiempo nos fortalece en el deseo de participar en su obra de salvación, convirtiéndonos en sus instrumentos (*Carta al Prepósito general de la Compañía de Jesús con motivo del 50° aniversario de la encíclica Haurietis aquas*, 15 de mayo de 2006).

CAPÍTULO III

MARÍA, MADRE DE MISERICORDIA

El amor misericordioso de Dios se ha manifestado plenamente en la cruz, y a partir de ella, el poder de la resurrección se expande por el mundo gracias al Espíritu: toda la historia de los hombres está inundada por esta fuente, María, en primer lugar, Madre de Misericordia, el ejemplo perfecto de la vida nueva creada por el amor divino; la Iglesia, a imagen de María; el cristiano, gracias a la fuerza divina recibida en la Iglesia, especialmente a través de los sacramentos, y la ciudad de los hombres, renovada por la acción de los hijos de Dios, transformados, ellos también, por la misericordia.

Pablo VI. María fue instituida por Dios como dispensadora de su misericordia

Si las grandes culpas de los hombres pesan sobre la balanza de la justicia de Dios, y provocan su justo castigo, sabemos también que el Señor es el "Padre de las misericordias y el Dios de toda consolación" (2Co 1, 3) y que María Santísima ha sido constituida por Él administradora y dispensadora generosa de los tesoros de su misericordia. Que Ella, que ha conocido las penas y las tribulaciones de aquí abajo, la fatiga del trabajo cotidiano, las incomodidades y las estrecheces de la pobreza, los dolores del calvario, socorra, pues, las necesidades de la Iglesia y del mundo (*Mense Maio*, n. 11, 29 de abril de 1965).

Juan Pablo II. María ha experimentado la misericordia y colabora en su difusión, junto a la cruz y en la historia de la salvación

María es quien, de manera singular y excepcional, ha experimentado —como nadie— la misericordia y, también de manera excepcional, ha hecho posible con el sacrificio de su corazón la propia participación en la revelación de la misericordia divina. Tal sacrificio está estrechamente vinculado con la cruz de su Hijo, a cuyos pies ella debía encontrarse en el Calvario. Este sacrificio suyo es una participación singular en la revelación de la misericordia, es decir, en la absoluta fidelidad de Dios al propio amor, a la alianza querida por Él desde la eternidad y concluida en el tiempo con el hombre, con el pueblo, con la humanidad; es la participación en la revelación definitivamente cumplida a través de la cruz. Nadie ha experimentado, como la Madre del Crucificado, el misterio de la cruz, el pasmoso encuentro de la trascendente justicia divina con el amor: el "beso" dado por la misericordia a la justicia (*Dives in misericordia*, n. 9, 30 de noviembre de 1980),

Card. Joseph Ratzinger. María como reflejo de la misericordia divina en el mensaje de misericordia en la vida de Juan Pablo II

Divina Misericordia: el Santo Padre encontró el reflejo más puro de la misericordia de Dios en la Madre de Dios. Él, que había perdido a su madre cuando era muy joven, amó todavía más a la Madre de Dios. Escuchó las palabras del Señor crucificado como si estuvieran dirigidas a él personalmente: "¡Aquí tienes a tu madre!" E hizo como el discípulo predilecto: la acogió en lo íntimo de su ser (*eis ta idia*: Jn 19, 27), *Totus tuus*. Y de la madre aprendió a conformarse con Cristo (*Homilía. Misa de exequias por el Romano Pontífice Juan Pablo II*, 8 de abril de 2005).

Francisco. María es experta en misericordia, porque su corazón está en perfecta sintonía con Cristo

Todo en su vida (la de María) fue plasmado por la presencia de la misericordia hecha carne. La Madre del Crucificado Resucitado entró en el santuario de la misericordia divina, porque participó íntimamente en el misterio de su amor. Elegida para ser la Madre del Hijo de Dios, María estuvo preparada desde siempre por el amor del Padre para ser *Arca de la Alianza* entre Dios y los hombres. Custodió en su corazón la divina misericordia, en perfecta sintonía con su Hijo Jesús. [...] Al pie de la cruz, María junto con Juan, el discípulo del amor, es testigo de las palabras de perdón que salen de la boca de Jesús. El perdón supremo ofrecido a quien lo ha crucificado, nos muestra hasta dónde puede llegar la misericordia de Dios. María atestigua que la misericordia del Hijo de Dios no conoce límites y alcanza a

51

todos sin excluir a ninguno. Dirijamos a ella la antigua y siempre nueva oración del *Salve Regina*, para que nunca se canse de volver a nosotros sus ojos misericordiosos y nos haga dignos de contemplar el rostro de la misericordia, su Hijo Jesús (*Misericordiae vultus,* n. 24).

CAPÍTULO IV

LA MISERICORDIA, VIDA DE LA IGLESIA

El río divino que mana del misterio pascual, llega a los hombres y les dona la vida a través del canal de la Iglesia, especialmente gracias a los sacramentos. Después de una cita de Benedicto XVI, que nos dará una primera visión de conjunto, los demás textos pontificios describirán a la Iglesia como el lugar de la difusión de la misericordia, donde los pastores juegan un papel determinante, sobre todo en la distribución de los sacramentos —la Reconciliación amerita un tratamiento específico, puesto que nos habla de la misericordia—. Esta parte eclesiológica terminará con los años santos, tiempos especialmente fuertes para redescubrir y difundir el amor divino.

Un compendio del movimiento del río de la misericordia

Benedicto XVI.
La misericordia entra con Cristo en la historia

En realidad, la misericordia es el núcleo central del mensaje evangélico, es el nombre mismo de Dios, el rostro con el que se reveló en la Antigua Alianza y plenamente en Jesucristo, encarnación del Amor creador y redentor. Este amor de misericordia ilumina también el rostro de la Iglesia y se manifiesta mediante los sacramentos, especialmente el de la Reconciliación, y mediante las obras de caridad, comunitarias e individuales. Todo lo que la Iglesia dice y realiza, manifiesta la misericordia que Dios tiene para con el hombre. Cuando la Iglesia debe recordar una verdad olvidada, o un bien traicionado, lo hace siempre impulsada por el amor misericordioso, para que los hombres tengan vida y la tengan en abundancia (*cfr.* Jn 10, 10). De la misericordia divina, que pacifica los corazones, brota además la auténtica paz en el mundo, la paz entre los diversos pueblos, culturas y religiones (*Ángelus.* Domingo de la Divina Misericordia, 30 de marzo de 2008).

Francisco. El gran río de la misericordia

Desde el corazón de la Trinidad, desde la intimidad más profunda del misterio de Dios, brota y corre sin parar el gran río de la misericordia. Esta fuente nunca podrá agotarse, sin importar cuántos sean los que a ella se acerquen. Cada vez que alguien tenga necesidad, podrá venir a ella, porque la misericordia de Dios no tiene fin. Es tan insondable la profundidad del misterio que encierra, tan inagotable la riqueza que de ella proviene (*Misericordiae vultus*, n. 25).

La Iglesia como comunidad animada por la misericordia

La Iglesia, animada por la misericordia divina, no guarda celosamente su tesoro para sí misma, lo ofrece a los hombres para que puedan liberarse de la esclavitud del pecado y emprender los caminos de una vida nueva. Así, la misericordia ofrece una clave esencial para la pastoral.

Pío XII. La Iglesia, Cuerpo místico de Cristo misericordioso, está compuesta también de pecadores llamados al arrepentimiento

No debe pensarse que el Cuerpo de la Iglesia, por estar adornado con el nombre de Cristo, ya acá, en el tiempo de la peregrinación terrenal, está compuesto solamente por miembros que se distinguen por su santidad, o por aquéllos que están predestinados por Dios a la felicidad eterna. En efecto, se debe atribuir a la infinita misericordia de nuestro Salvador, el que no niegue ahora un lugar en su Cuerpo místico a aquéllos a los que alguna vez no les negó un lugar en el banquete (*cfr*. Mt 9, 11; Mc 2, 16; Lc 15, 2), pues ninguna falta cometida, por más grave que sea (por ejemplo, el cisma, la herejía, la apostasía), es tal, que por su naturaleza separe al hombre del Cuerpo de la Iglesia. Tampoco se extingue la vida en aquéllos que, aunque por el pecado han perdido la caridad y la gracia divinas, y en consecuencia la capacidad del premio sobrenatural, conservan todavía la fe y la esperanza cristiana, e, iluminados por la luz celestial, por las inspiraciones íntimas y mociones del Espíritu Santo, son llevados a un sano temor, a la oración y al arrepentimiento por sus pecados. Así pues, que cada cual aborrezca el pecado que mancha a los miembros místicos del Redentor; pero quien, después de haber fallado míseramente, en su obstinación no se hace indigno de la comunión de los fieles, ha de ser acogido con sumo amor y en él se ha de reconocer con caridad activa un miembro enfermo de Jesucristo (*Mystici corporis*, 29 de junio de 1943).

Pablo VI. La misericordia es la vía que une la Iglesia y el mundo

Esta diferencia (*vivir en el mundo pero no ser del mundo*) no es separación. Mejor, no es indiferencia, no es temor, no es desprecio. Cuando la Iglesia se distingue de la humanidad, no se opone a ella, antes bien se le une. Como el médico que, conociendo las insidias de una pestilencia, procura guardarse a sí y a los otros de tal infección, pero al mismo tiempo se consagra a la curación de los que han sido atacados, así la Iglesia no hace de la misericordia, que la divina bondad le ha concedido, un privilegio exclusivo, no hace de la propia fortuna un motivo para desinteresarse de quien no la ha conseguido, antes bien, convierte su salvación en argumento de interés y de amor para todo el que esté junto a ella o a quien, en su esfuerzo comunicativo universal, pueda alcanzar (*Ecclesiam suam,* n. 25, 6 agosto 1964).

Juan Pablo II. La Iglesia tiene entre sus principales deberes el de proclamar la misericordia

La Iglesia debe considerar como uno de sus deberes principales —en cada etapa de la historia y especialmente en la edad contemporánea— el de proclamar e introducir en la vida el misterio de la misericordia, revelado en sumo grado en Cristo Jesús (*Dives in misericordia,* n. 14).

Juan Pablo II. La Iglesia denuncia el pecado, porque sabe que la misericordia divina ofrece su fuerza transformadora al hombre que reconoce su propia indigencia

Cuando la Iglesia, con la fuerza del Espíritu Santo, llama al mal por su nombre, lo hace únicamente con el fin de indicar al hombre la posibilidad de vencerlo, abriéndose a la dimensión del *amor Dei usque ad contemptum sui* ("amor a Dios hasta el desprecio de sí mismo"). Éste es el fruto de la misericordia divina. En Jesucristo, Dios se inclina sobre el hombre para tenderle la mano, para volver a levantarlo y ayudarle a reemprender el camino con renovado vigor. El hombre no es capaz de levantarse por sus propias fuerzas; necesita la ayuda del Espíritu Santo (*Memoria e identidad*, Milán, 2005, 17-18).

Benedicto XVI. La Iglesia santa acoge a los pecadores llamados a la penitencia

Creemos que la Iglesia es santa, pero en ella hay hombres pecadores. Es preciso rechazar el deseo de identificarse solamente con quienes no tienen pecado. ¿Cómo habría podido la Iglesia excluir de sus filas a los pecadores? Precisamente por su salvación Cristo se encarnó, murió y resucitó. Por tanto, debemos aprender a vivir con sinceridad la penitencia cristiana (*Encuentro con el clero en la Catedral de San Juan de Varsovia*, 25 de mayo de 2006).

Francisco. *Podemos ser transformados por la misericordia divina porque en la Iglesia encontramos a Cristo*

La Iglesia nos hace encontrar la misericordia de Dios que nos transforma, porque en ella está presente Jesucristo, que le da la verdadera confesión de fe, la plenitud de la vida sacramental, la autenticidad del ministerio ordenado. En la Iglesia cada uno de nosotros encuentra cuanto es necesario para creer, para vivir como cristianos, para llegar a ser santos, para caminar en cada lugar y en cada época (*Audiencia general,* n. 1, 9 de octubre de 2013).

La misericordia, que no quiere llenar de cargas la vida de los fieles, es criterio de discernimiento para reconocer costumbres eclesiales no directamente ligadas al núcleo del Evangelio

Santo Tomás de Aquino destacaba que los preceptos dados por Cristo y los apóstoles al pueblo de Dios "son poquísimos". Citando a san Agustín, advertía que los preceptos añadidos por la Iglesia posteriormente deben exigirse con moderación "para no hacer pesada la vida a los fieles" y convertir nuestra religión en una esclavitud, cuando "la misericordia de Dios quiso que fuera libre". Esta advertencia, hecha varios siglos atrás, tiene una tremenda actualidad. Debería ser uno de los criterios a considerar a la hora de pensar una reforma de la Iglesia y de su predicación que permita realmente llegar a todos (*Evangelii gaudium,* n. 43, 24 de noviembre de 2013).

Ser Iglesia es ser Pueblo de Dios, de acuerdo con el gran proyecto de amor del Padre. Esto implica ser el fermento de Dios en medio de la humanidad. Quiere decir anunciar y llevar la salvación de Dios en este mundo nuestro, que a menudo se pierde, necesitado de tener respuestas que alienten, que den esperanza, que den nuevo vigor en el camino. La Iglesia tiene que ser el lugar de la misericordia gratuita, donde todo el mundo pueda sentirse acogido, amado, perdonado y alentado a vivir según la vida buena del Evangelio (*Evangelii gaudium*, n. 114, 24 de noviembre de 2013).

Son dos lógicas de pensamiento y de fe: el miedo de perder a los salvados y el deseo de salvar a los perdidos. Hoy también nos encontramos en la encrucijada de estas dos lógicas: a veces, la de los doctores de la ley, o sea, alejarse del peligro apartándose de la persona contagiada, y la lógica de Dios que, con su misericordia, abraza y acoge reintegrando y transfigurando el mal en bien, la condena en salvación y la exclusión en anuncio. Estas dos lógicas recorren toda la historia de la Iglesia: *marginar y reintegrar*. [...] El camino de la Iglesia [...] es siempre el camino de Jesús, el de la misericordia y de la integración. Esto no quiere decir menospreciar los peligros o hacer entrar los lobos en el rebaño, sino acoger al hijo pródigo arrepentido; sanar con determinación y valor las heridas del pecado; actuar decididamente y no quedarse mirando de forma pasiva el sufrimiento del mundo (*Homilía. Santa Misa con los nuevos cardenales y el Colegio Cardenalicio*, 15 de febrero de 2015).

La misericordia es la viga maestra que sostiene la vida de la Iglesia. Todo en su acción pastoral debería estar revestido por la ternura con la que se dirige a los creyentes; nada en su anuncio y en su testimonio hacia el mundo puede carecer de misericordia. La credibilidad de la Iglesia pasa a través del camino del amor misericordioso y compasivo. [...] Tal vez por mucho tiempo nos hemos olvidado de indicar y de andar por la vía de la misericordia. [...] Sin el testimonio del perdón, sin embargo, queda sólo una vida infecunda y estéril, como si se viviese en un desierto desolado. Ha llegado de nuevo para la Iglesia el tiempo de encargarse del anuncio alegre del perdón (*Misericordiae vultus*, n. 10).

La misericordia, eje de la vida de los Pastores

Representante del Padre de la misericordia y servidor de sus hermanos, el sacerdote está invitado a encarnar concretamente la caridad y la dulzura. Al igual que los clérigos santos, los ministros deben dar la mayor riqueza: la misericordia del Padre, profecía de un mundo nuevo y fraterno.

Francisco. La misericordia de Dios renueva el mundo

San Celestino V [...], como san Francisco de Asís, tuvo un fortísimo sentido de la misericordia de Dios, y del hecho *que la misericordia de Dios renueva el mundo*. [...] Con su fuerte compasión por la gente, estos santos sintieron la necesidad de *dar al pueblo lo más grande, la riqueza más grande*: la *misericordia del Padre*, el perdón. "Perdona nuestras ofensas así como nosotros perdonamos a los que nos ofenden". En estas palabras del *Padrenuestro* está todo un proyecto de vida basado en la misericordia. La misericordia, la indulgencia, la condonación de la deuda, no es sólo algo devocional, privado, un paliativo espiritual, una especie de óleo que ayuda a ser más suaves, más buenos, no. Es *la profecía de un mundo nuevo*: misericordia es profecía de un mundo nuevo, en el que los bienes de la tierra y del trabajo se distribuyen equitativamente y nadie se ve privado de lo necesario, porque la solidaridad y el acto de compartir son la consecuencia concreta de la fraternidad. Estos dos santos dieron el ejemplo. Ellos sabían que, como clérigos —uno era diácono, el otro obispo, obispo de Roma—, como clérigos, los dos tenían que dar ejemplo de pobreza, de misericordia y de despojamiento total de sí mismos (*Encuentro con la población y convocación del Año Jubilar Celestiniano,* Plaza de la Catedral de Isernia, 5 de julio de 2014).

Un pastor que es consciente de que su ministerio brota únicamente de la misericordia y del corazón de Dios, nunca podrá asumir una actitud autoritaria, como si todos estuviesen a sus pies y la comunidad fuese su propiedad, su reino personal. La conciencia de que todo es don, todo es gracia, ayuda también a un pastor a no caer en la tentación de ponerse en el centro de la atención y confiar sólo en sí mismo. Son las tentaciones de la vanidad, del orgullo, de la suficiencia, de la soberbia. Ay si un obispo, un sacerdote o un diácono pensase que lo sabe todo, que tiene siempre la respuesta justa para cada cosa y que no necesita de nadie. Al contrario, la consciencia de ser él, en primer lugar, objeto de la misericordia y de la compasión de Dios, debe llevar a un ministro de la Iglesia a ser siempre humilde y comprensivo respecto a los demás (*Audiencia general,* nn. 2-3, 12 de noviembre de 2014).

Misericordia y sacramento de la Reconciliación

Los sacramentos, especialmente el de la Reconciliación, son los medios por los cuales la misericordia divina transforma a los pecadores y les da una vida nueva. Los Papas no deben dejar de animar a los pastores para que cuiden este ministerio, pues "el sacerdote es el signo y el instrumento del amor misericordioso de Dios hacia el pecador" (*Catecismo de la Iglesia Católica,* n. 1465).

Juan XIII. El ejemplo del Cura de Ars

El Cura de Ars no vivía sino para los "pobres pecadores", como él decía, con la esperanza de verlos convertirse y llorar. [...] Y todo esto porque bien conocía él, por la práctica del confesionario, toda la malicia del pecado y sus ruinas espantosas en el mundo de las almas. Hablaba de ello en términos terribles: "Si tuviésemos fe y si viésemos un alma en estado de pecado mortal, nos moriríamos de terror". Mas lo acerbo de su pena y la vehemencia de su palabra provienen menos del temor de las penas eternas que amenazan al pecador impenitente, que de la emoción experimentada por el pensamiento del amor divino desconocido y ofendido. Ante la obstinación del pecador y su ingratitud hacia un Dios tan bueno, las lágrimas manaban de sus ojos. "Oh, amigo mío —decía—, lloro yo precisamente por lo que no lloras tú". En cambio, ¡con qué delicadeza y con qué fervor hace renacer la esperanza en los corazones arrepentidos! Para ellos se hace incansablemente ministro de la misericordia divina, la cual, como él decía, es poderosa "como un torrente desbordado que arrastra los corazones a su paso" y más tierna que la solicitud de una madre, porque Dios está "pronto a perdonar más aún que lo estaría una madre para sacar del fuego a un hijo suyo". Los pastores de almas esfuércense, pues, a ejemplo del Cura de Ars, por consagrarse, con competencia y entrega, a este ministerio tan importante, porque fundamentalmente es aquí donde la misericordia divina triunfa sobre la malicia de los hombres y donde el pecador se reconcilia con su Dios (*Sacerdotii nostri primordia*, 1 de agosto de 1959).

Pablo VI. El sacramento de la Penitencia no es una simple donación automática de la misericordia de Dios, pues requiere la colaboración humana

Esta intervención salvífica de la misericordia triunfante de Dios exige algunas condiciones de parte de quien la recibe; y todos sabemos cuáles son. No es automática, no es mágica la causalidad sacramental de la penitencia: ésta es un encuentro que supone una disponibilidad, una receptividad, una predisposición, una cierta colaboración humana condicionante. [...] Ahora simplificamos el inmenso análisis al que se presta el tema, para destacar dos puntos nodales de este capítulo de la disciplina católica penitencial. El primero tiene un nombre difícil y doloroso, es la contrición. [...] Proviene de una conciencia a la cual, habitualmente, el hombre intenta sustraerse, la conciencia de pecado, la cual supone la fe en la relación que media entre nuestra vida y la inviolable y vigilante ley de Dios. [...] El otro punto nodal de esta materia es la confesión, es decir, la acusación que el hombre, deseoso del perdón de Dios, hace de sí mismo, de sus culpas, y por la exigencia en su calidad moral, la hace a un ministro autorizado para escuchar al penitente y absolverlo. Algo tremendo, dolorosa penitencia; así parece. Y es así para quien no ha hecho la experiencia de la humildad que reencuentra la verdad y la justicia que hablan dentro de él, ni la experiencia liberadora, consoladora de la absolución sacramental. Quizá los momentos de una confesión sincera son de los más dulces, más reconfortantes, más decisivos en la vida (*Audiencia general,* 1 de marzo de 1975).

Juan Pablo II. El hombre, con el pecado mortal, rechaza la misericordia divina

Es de esperar que pocos quieran obstinarse hasta el final en actitud de rebelión o, incluso, de desafío contra Dios, el cual, por otro lado, en su amor misericordioso es más fuerte que nuestro corazón —como nos enseña también san Juan— y puede vencer todas nuestras resistencias psicológicas y espirituales, de manera que —como escribe Santo Tomás de Aquino— "no hay que desesperar de la salvación de nadie en esta vida, considerada la omnipotencia y la misericordia de Dios". Pero ante el problema del encuentro de una voluntad rebelde con Dios, infinitamente justo, [...] a la luz de [...] textos de la Sagrada Escritura, los doctores y los teólogos, los maestros de la vida espiritual y los pastores han distinguido los pecados en mortales y veniales. [...] Es pecado mortal lo que tiene como objeto una materia grave y que, además, es cometido con pleno conocimiento y deliberado consentimiento. Es un deber añadir [...] que algunos pecados, por razón de su materia, son intrínsecamente graves y mortales. Es decir, existen actos que, por sí y en sí mismos, independientemente de las circunstancias, son siempre gravemente ilícitos por razón de su objeto. Estos actos, si se realizan con el suficiente conocimiento y libertad, son siempre culpa grave (*Reconciliatio et paenitentia*, n. 17, 2 de diciembre de 1984).

Benedicto XVI. La formación del confesor le permite manifestar la potencia renovadora del amor divino

Obedeciendo con dócil adhesión al Magisterio de la Iglesia (el confesor) se hace ministro de la consoladora misericordia de

Dios, muestra la realidad del pecado y manifiesta, al mismo tiempo, la ilimitada fuerza renovadora del amor divino, amor que devuelve la vida. Así pues, la confesión se convierte en un renacimiento espiritual, que transforma al penitente en una nueva criatura. Sólo Dios puede realizar este milagro de gracia, y lo hace mediante las palabras y los gestos del sacerdote. El penitente, experimentando la ternura y el perdón del Señor, es más fácilmente impulsado a reconocer la gravedad del pecado, y más decidido a evitarlo, para permanecer y crecer en la amistad reanudada con Él. En este misterioso proceso de renovación interior, el confesor no es un espectador pasivo, sino *persona dramatis*, es decir, instrumento activo de la misericordia divina. Por tanto, es necesario que, además de una buena sensibilidad espiritual y pastoral, tenga una seria preparación teológica, moral y pedagógica, que lo capacite para comprender la situación real de la persona (*A los penitenciarios de las cuatro Basílicas Papales de Roma*, 19 de febrero de 2007).

Francisco. Sin traicionar las exigencias del Evangelio, debemos acompañar con amorosa paciencia el crecimiento de quien se abre a Dios

Tanto los Pastores como todos los fieles que acompañen a sus hermanos en la fe o en un camino de apertura a Dios, no pueden olvidar lo que con tanta claridad enseña el *Catecismo de la Iglesia Católica*: "La imputabilidad y la responsabilidad de una acción pueden quedar disminuidas e incluso suprimidas a causa de la ignorancia, la inadvertencia, la violencia, el temor, los hábitos, los afectos desordenados y otros factores psíquicos o sociales". Por lo tanto, sin disminuir el valor del ideal evangélico, hay que acompañar con misericordia y paciencia las etapas posibles de crecimiento de las personas que se van construyendo día a día. A los sacerdotes les recuerdo que el confesionario no debe ser una sala de torturas, sino el lugar de la misericordia del Señor que nos estimula a hacer el bien posible (*Evangelii gaudium*, n. 44, 24 de noviembre de 2013).

Que haya diferencias de estilo entre los confesores es normal, pero estas diferencias no pueden referirse a la esencia, es decir, a la sana doctrina moral y a la misericordia. Ni el laxista ni el rigorista dan testimonio de Jesucristo, porque ni uno ni otro se hace cargo de la persona que encuentra. El rigorista se lava las manos: en efecto, clava la persona a la ley entendida de modo frío y rígido; el laxista, en cambio, se lava las manos: sólo aparentemente es misericordioso, pero en realidad no toma en serio el problema de esa conciencia, minimizando el pecado. La misericordia auténtica *se hace cargo* de la persona, la escucha atentamente, se acerca con respeto y con verdad a su situación, y la acompaña en el camino de la reconciliación. Y esto es fatigoso, sí, ciertamente. El sacerdote verdaderamente misericordioso se comporta como el buen samaritano... pero, ¿por qué lo hace? Porque su corazón es capaz de compasión, es el corazón de Cristo. Sabemos bien que *ni el laxismo ni el rigorismo hacen crecer la santidad* (*Discurso a los sacerdotes de la diócesis de Roma*, n. 3, 6 de marzo de 2014).

Un sacerdote que no cuida esta parte de su ministerio, tanto en el tiempo que le dedica como en la calidad espiritual, es como un pastor que no se ocupa de las ovejas que se han perdido; es como un padre que se olvida del hijo perdido y descuida esperarlo. Pero la misericordia es el corazón del Evangelio. [...] No olvidemos que a los fieles a menudo les cuesta acercarse al sacramento, sea por razones prácticas, sea por la natural dificultad de confesar a otro hombre los propios pecados. Por esta razón es necesario trabajar mucho sobre nosotros mismos, sobre nuestra humanidad, para no ser nunca obstáculo sino favorecer siempre el acercamiento a la misericordia y al perdón (*Discurso a los participantes en el curso organizado por la Penitenciaría Apostólica*, 28 de marzo de 2014).

Entre los sacramentos, ciertamente el de la Reconciliación hace presente con especial eficacia el rostro misericordioso de Dios: lo hace concreto y lo manifiesta continuamente, sin pausa. No lo olvidemos nunca, como penitentes o como confesores: no existe ningún pecado que Dios no pueda perdonar. Ninguno. Sólo lo que se aparta de la misericordia divina no se puede perdonar, como quien se aleja del sol no se puede iluminar ni calentar (*Discurso a los participantes al curso organizado por el Tribunal de la Penitenciaría Apostólica*, 12 de marzo de 2015).

Los demás sacramentos y la misericordia

Juan Pablo II. La misericordia de Dios se difunde gracias a la Iglesia en la historia

La Iglesia tiene la misión de anunciar (la) reconciliación y de ser el sacramento de la misma en el mundo. Sacramento, o sea, signo e instrumento de reconciliación, es la Iglesia, por diferentes títulos de diverso valor, pero todos ellos orientados a obtener lo que la iniciativa divina de misericordia quiere conceder a los hombres. Lo es, sobre todo, por su existencia misma de comunidad reconciliada, que testimonia y representa en el mundo la obra de Cristo. Además, lo es por su servicio como guardiana e intérprete de la Sagrada Escritura, que es gozosa nueva de reconciliación en cuanto que, generación tras generación, hace conocer el designio amoroso de Dios e indica a cada una de ellas los caminos de la reconciliación universal en Cristo. Por último, lo es también por los siete sacramentos que, cada uno de ellos en modo peculiar "edifican la Iglesia". De hecho, puesto que conmemoran y renuevan el misterio de la Pascua de Cristo, todos los sacramentos son fuente de vida para la Iglesia y, en sus manos, instrumentos de conversión a Dios y de reconciliación de los hombres (*Reconciliatio et paenitentia*, n. 11, 2 de diciembre de 1984).

Benedicto XVI. La Eucaristía nos permite vivir el don de nosotros mismos con la fuerza divina de Cristo, en el servicio de los otros y de la comunión

La Eucaristía nos adentra en el acto oblativo de Jesús. No recibimos solamente de modo pasivo el *Logos* encarnado, sino que nos implicamos en la dinámica de su entrega. [...] La unión con Cristo es al mismo tiempo unión con todos los demás a los que él se entrega. No puedo tener a Cristo sólo para mí; únicamente puedo pertenecerle en unión con todos los que son suyos o lo serán. La comunión me hace salir de mí mismo para ir hacia Él, y por tanto, también hacia la unidad con todos los cristianos. Nos hacemos "un cuerpo", aunados en una única existencia. Ahora, el amor a Dios y al prójimo están realmente unidos: el Dios encarnado nos atrae a todos hacia sí. [...] Una Eucaristía que no se traduzca en amor concretamente practicado está fragmentada en sí misma. Viceversa [...] el "mandamiento" del amor es posible sólo porque no es una mera exigencia: el amor puede ser "mandado" porque antes nos ha sido dado (*Deus caritas est*, nn. 13-14, 25 de diciembre de 2005).

Francisco. El Bautismo y la Confesión, intervenciones de la misericordia divina que perdona y da una vida nueva; la Eucaristía, pan de los pobres que se reconocen necesitados del perdón de Dios

En el sacramento del Bautismo se perdonan todos los pecados, el pecado original y todos los pecados personales, como también todas las penas del pecado. Con el Bautismo se abre la puerta a una efectiva novedad de vida que no está abrumada por el peso de un pasado negativo, sino que goza ya de la belleza y la bondad del reino de los cielos. Se trata de una intervención poderosa de la misericordia de Dios en nuestra vida, para salvarnos. Esta intervención salvífica no quita a nuestra naturaleza humana su debilidad —todos somos débiles y todos somos pecadores—; y no nos quita la responsabilidad de pedir perdón cada vez que nos equivocamos. No puedo bautizarme más de una vez, pero puedo confesarme y renovar así la gracia del Bautismo. Es como si hiciera un segundo Bautismo. El Señor Jesús es muy bueno y jamás se cansa de perdonarnos (*Audiencia general,* n. 3, 13 de noviembre de 2013).

Quien celebra la Eucaristía no lo hace porque se considera o quiere aparentar ser mejor que los demás, sino precisamente porque se reconoce siempre necesitado de ser acogido y regenerado por la misericordia de Dios, hecha carne en Jesucristo. Si cada uno de nosotros no se siente necesitado de la misericordia de Dios, esto es, no se siente pecador, ¡es mejor que no vaya a Misa! Nosotros vamos a Misa porque somos pecadores y queremos recibir el perdón de Dios, participar en la redención de Jesús, en su perdón (*Audiencia general,* 12 de febrero de 2014).

El Jubileo para redescubrir y difundir la misericordia

Pablo VI. El Año Santo, tiempo especialmente propicio para la caridad concreta

Queremos que el Año Santo, con las obras de caridad que inspira y pide a los fieles, sea un tiempo propicio para un fortalecimiento de la conciencia social en todos los fieles y en el ámbito más amplio de todos los hombres, a quienes se les puede hacer llegar el mensaje de la Iglesia. [...] Creemos que también en el mundo de hoy, los problemas que más agitan y atormentan nuestra humanidad —el económico y social, el ecológico, el energético y, ante todo, el de la liberación de los oprimidos y la elevación de todos los hombres a una mayor dignidad de vida— pueden ser iluminados por el mensaje del Año Santo. Pero queremos invitar a todos los hijos de la Iglesia, especialmente a los peregrinos que vendrán a Roma, a que se comprometan en algunos puntos concretos sobre los cuales, como sucesor de Pedro y cabeza de la Iglesia que "preside a la caridad universal", llamamos la atención de todos. Se trata de realizar obras de caridad y de fe, al servicio de los hermanos más necesitados, en Roma y en todas la Iglesias del mundo (*Apostolorum limina,* n. 5, 23 de mayo de 1974).

Juan Pablo II. La celebración de un Año Santo manifiesta la misericordia divina, por ejemplo, a través de las indulgencias y, en especial, con la caridad activa

Otro signo característico, muy conocido entre los fieles, es la *indulgencia*, que es uno de los elementos constitutivos del Jubileo. En ella se manifiesta la plenitud de la misericordia del

Padre, que sale al encuentro de todos con su amor, manifestado en primer lugar con el perdón de las culpas. Ordinariamente Dios Padre concede su perdón mediante el sacramento de la Penitencia y de la Reconciliación. En efecto, el caer de manera consciente y libre en pecado grave, separa al creyente de la vida de la gracia con Dios y, por ello mismo, lo excluye de la santidad a la que está llamado. La Iglesia, habiendo recibido de Cristo el poder de perdonar en su nombre (*cfr.* Mt 16, 19; Jn 20, 23), es en el mundo la presencia viva del amor de Dios, que se inclina sobre toda debilidad humana para acogerla en el abrazo de su misericordia. Precisamente a través del ministerio de su Iglesia, Dios extiende en el mundo su misericordia mediante aquel precioso don que, con nombre antiguo, se llama "indulgencia". [...] En efecto, la reconciliación con Dios no excluye la permanencia de algunas consecuencias del pecado, de las cuales es necesario purificarse. Es precisamente en este ámbito donde adquiere relieve la indulgencia, con la que se expresa el "don total de la misericordia de Dios". Con la indulgencia se condona al pecador arrepentido la pena temporal por los pecados ya perdonados en cuanto a la culpa. [...] Un signo de la misericordia de Dios, hoy especialmente necesario, es el de la *caridad*, que nos abre los ojos a las necesidades de quienes viven en la pobreza y la marginación. Es una situación que hoy afecta a grandes áreas de la sociedad y cubre con su sombra de muerte a pueblos enteros. [...] Resulta claro, por lo demás, que no se puede alcanzar un progreso real sin la colaboración efectiva entre los pueblos de toda lengua, raza, nación y religión. Se han de eliminar los atropellos que llevan al predominio de unos sobre otros: son un pecado y una injusticia. Quien se dedica solamente a acumular tesoros en la tierra (*cfr.* Mt 6, 19), "no se enriquece en orden a Dios" (Lc 12, 21) (*Incarnationis mysterium*, nn. 9.12, 29 de noviembre de 1998).

Francisco. El Año Jubilar, ocasión para atraer a todos al camino del amor como vía de cambio individual y, en consecuencia, social. En el Año Santo de la Misericordia, la Iglesia ha de manifestar su misión de testigo de la misericordia

He aquí el sentido actualísimo del Año Jubilar, de este Año Jubilar celestiniano, que desde este momento declaro inaugurado, y durante el cual se abrirá de par en par para todos, la puerta de la divina misericordia. No es una fuga, no es una evasión de la realidad y de sus problemas, es la respuesta que viene del Evangelio: *el amor como fuerza de purificación* de las conciencias, *fuerza de renovación* de las relaciones sociales, *fuerza de proyección* para una economía distinta, que pone en el centro a la persona, el trabajo, la familia, en lugar del dinero y el beneficio. Todos somos conscientes de que este camino no es el del mundo; no somos soñadores, ilusos, ni queremos crear oasis fuera del mundo. Creemos más bien que *este camino es la senda buena para todos*, es la senda que verdaderamente nos acerca a la justicia y a la paz. Pero sabemos también que somos pecadores, que nosotros somos los primeros en ser tentados de no seguir este camino y conformarnos a la mentalidad del mundo, a la mentalidad del poder, a la mentalidad de las riquezas. Por ello nos encomendamos a la misericordia de Dios, y nos comprometemos, con su gracia, a realizar frutos de conversión y obras de misericordia. Estas dos cosas: convertirse y realizar obras de misericordia. Éste es el motivo conductor de este año, de este Año Jubilar celestiniano (*Encuentro con el pueblo y convocación del Año Jubilar Celestiniano, Plaza de la Catedral de Isernia,* 5 de julio de 2014).

He pensado con frecuencia de qué forma la Iglesia puede hacer más evidente su misión de ser testigo de la misericordia. Es un camino que inicia con una conversión espiritual; y tenemos que recorrer este camino. Por eso he decidido convocar un Jubileo extraordinario que tenga en el centro la misericordia de Dios. Será un *Año Santo de la Misericordia*. Lo queremos vivir a la luz de la Palabra del Señor: "Sean misericordiosos como el Padre" (*cfr.* Lc 6, 36). Esto especialmente para los confesores: ¡mucha misericordia! […] Estoy convencido de que toda la Iglesia, que tiene una gran necesidad de recibir misericordia, porque somos pecadores, podrá encontrar en este Jubileo la alegría para redescubrir y hacer fecunda la misericordia de Dios, con la cual todos estamos llamados a dar consuelo a cada hombre y a cada mujer de nuestro tiempo (*Homilía. Celebración penitencial*, 13 de marzo de 2015).

CAPÍTULO V

EL CRISTIANO Y LA MISERICORDIA

Renovado por la misericordia divina, identificado en Cristo por el Espíritu Santo, el cristiano está llamado a vivir a la altura del don recibido, sirviendo a sus hermanos —especialmente a través de las obras de misericordia— y convirtiéndose en apóstol de la bondad del Padre.

De la misericordia del Padre el cristiano recibe no sólo el perdón de los pecados, sino también, en Jesucristo y por el Espíritu, una nueva vida: una vida de dulzura, de conversión, de perdón, de justicia, de misericordia donada a los demás para que sea aceptada por Dios.

El estilo de vida misericordioso del cristiano

El cristiano tiene la experiencia del amor divino cuando descubre el Crucificado, que le ofrece el don de una vida transformada por el poder del Espíritu: entonces podrá servir cada vez más a sus hermanos y anunciarles la misericordia del Padre. El hombre busca el amor y lo encuentra en Cristo crucificado, quien le ofrece la fuerza de una vida nueva y transformada.

Pío XI. Un ejemplo de este modo de vivir misericordioso: San Francisco de Sales

San Francisco de Sales fue un modelo de santidad no austera y melancólica, sino amable y accesible a todos, de modo que se puede decir de él, con toda verdad: *"Su conversión no tiene nada de amargura, ni la convivencia con él nada de tedioso, sino que era alegría y gozo"*. Adornado con toda virtud, brillaba, sin embargo, por una dulzura de ánimo tan propia, que podría decirse con justicia que era su virtud característica. [...] ¿No podemos, entonces, esperar que, a través de la práctica de esta virtud, que con razón podemos llamar el ornamento externo de la caridad divina, alcancemos la perfecta paz y concordia en la familia y en la sociedad misma? Vean, pues, cuán importante es que el pueblo cristiano dirija su mente a los ejemplos santísimos de Francisco, se edifique con ellos y adopte sus enseñanzas como regla de vida (*Rerum omnium*, 26 de enero de 1923).

Pablo VI. Participar en la cruz de Cristo significa recibir su fruto, la misericordia. Pidiendo perdón por nuestros pecados, respondemos a la misericordia divina

Participar de la cruz de Cristo significa recibir el beneficio que la Cruz nos ha obtenido, es decir, la misericordia de Dios, y por tanto, nuestra salvación. La bondad del Señor se nos ha revelado de esta manera; Él la ha elegido así para redimirnos. Nos ha abierto su Corazón, y la caridad de Dios se ha manifestado, junto con su deseo de tomar nuestro lugar en nuestras mismas responsabilidades y en las penas que habríamos tenido que soportar por nuestras faltas. Éste es el don de la misericordia que aceptamos cuando decimos que queremos abrazar la Cruz de Cristo (*Homilía. Viacrucis desde el Coliseo al Palatino*, 8 de abril de 1966).

Nos es revelada la misericordia de Dios: esta economía de bondad debería maravillarnos, encantarnos y también sacudirnos un poco, si reflexionáramos cuánto puede el amor en nosotros. ¿Acaso no es el amor el que guía nuestra vida? [...] Podemos pensar [...] que cada pecado nuestro, cada huida del lado de Dios enciende en Él una llama de más intenso amor, un deseo de recuperarnos y volvernos a insertar en su plan de salvación. Esta revelación de la misericordia es original en el Evangelio. Nadie, en la fantasía humana y en la fenomenología común, llega a tanto (Pablo VI, *Homilía,* 23 de junio de 1968).

Juan Pablo II. El hombre necesita del amor, lo encuentra en la misericordia revelada en Cristo. Creer en la misericordia, significa creer que el amor de Dios, más potente que el pecado, transforma a los hombres.
Un fruto de la vida de la misericordia en nosotros es la conversión

El hombre no puede vivir sin amor. Él permanece para sí mismo un ser incomprensible, su vida está privada de sentido si no se le revela el amor, si no se encuentra con el amor, si no lo experimenta y lo hace propio, si no participa en él vivamente. Por esto precisamente, Cristo Redentor [...] revela plenamente el hombre al mismo hombre (*Redemptor hominis,* n. 10, 4 de marzo de 1979).

Creer en el Hijo crucificado significa "ver al Padre", significa creer que el amor está presente en el mundo y que este amor es más fuerte que toda clase de mal, en que el hombre, la humanidad, el mundo están metidos. Creer en ese amor significa creer en la misericordia. En efecto, es ésta la dimensión indispensable del amor, es como su segundo nombre y, a la vez, el modo específico de su revelación y actuación respecto a la realidad del mal presente en el mundo que afecta al hombre y lo asedia, que se insinúa asimismo en su corazón y puede hacerle "perecer en la gehena" (*Dives in misericordia*, n. 7).

La realidad de la conversión [...] es la expresión más concreta de la obra del amor y de la presencia de la misericordia en el mundo humano. El significado verdadero y propio de la misericordia en el mundo no consiste únicamente en la mirada, aunque sea la más penetrante y compasiva, dirigida al mal moral, físico o material: la misericordia se manifiesta en su aspecto verdadero y propio, cuando revalida, promueve y extrae el bien de todas las formas de mal existentes en el mundo y en el hombre. Así entendida, constituye el contenido fundamental del mensaje mesiánico de Cristo y la fuerza constitutiva de su misión (*Dives in misericordia*, n. 6).

La misericordia en sí misma, en cuanto perfección de Dios infinito, es también infinita. Infinita, pues, e inagotable es la prontitud del Padre en acoger a los hijos pródigos que vuelven a casa. Son infinitas la prontitud y la fuerza del perdón que brotan continuamente del valor admirable del sacrificio de su Hijo. No hay pecado humano que prevalezca por encima de esta fuerza y ni siquiera que la limite. Por parte del hombre puede limitarla únicamente la falta de buena voluntad, la falta de prontitud en la conversión y en la penitencia, es decir, su perdurar en la obstinación, oponiéndose a la gracia y a la verdad, especialmente frente al testimonio de la cruz y de la resurrección de Cristo. [...] El auténtico conocimiento de Dios, Dios de la misericordia y del amor benigno, es una constante e inagotable fuente de conversión, no solamente como momentáneo acto interior, sino también como disposición estable, como estado de ánimo. Quienes llegan a conocer de este modo a Dios, quienes lo "ven" así, no pueden vivir sino convirtiéndose sin cesar a Él. Viven pues in *statu conversionis*, en estado de conversión (*Dives in misericordia*, n. 13).

Cristo —en cuanto cumplimiento de las profecías mesiánicas—, al encarnarse en el amor que se manifiesta con peculiar fuerza hacia los que sufren, los infelices y los pecadores, hace presente y revela de este modo más plenamente al Padre, que es Dios "rico en misericordia". Asimismo, al convertirse para los hombres en modelo del amor misericordioso hacia los demás, Cristo proclama con las obras, más que con las palabras, la apelación a la misericordia que es una de las componentes esenciales del *"ethos* evangélico". En este caso, no se trata sólo de cumplir un mandamiento o una exigencia de naturaleza ética, sino también de satisfacer una condición de capital importancia, a fin de que Dios pueda revelarse en su misericordia hacia el hombre: "Los misericordiosos... alcanzarán misericordia" (*Dives in misericordia*, n. 3).

El hombre alcanza el amor misericordioso de Dios, su misericordia, en cuanto él mismo interiormente se transforma en el espíritu de tal amor hacia el prójimo. Este proceso auténticamente evangélico no es sólo una transformación espiritual realizada de una vez para siempre, sino que constituye todo un estilo de vida, una característica esencial y continua de la vocación cristiana. [...]. Cristo crucificado, en este sentido, es para nosotros el modelo, la inspiración y el impulso más grande. Basándonos en este desconcertante modelo, podemos con toda humildad manifestar misericordia a los demás, sabiendo que la recibe como demostrada a él mismo. Sobre la base de este modelo, debemos purificar también continuamente todas nuestras acciones y todas nuestras intenciones, allí donde la misericordia es entendida y practicada de manera unilateral, como bien hecho a los demás. Sólo entonces, en efecto, es realmente un acto de amor misericordioso: cuando, practicándola, nos convencemos profundamente de que al mismo tiempo la experimentamos por parte de quienes la aceptan de nosotros. Si falta esta bilateralidad, esta reciprocidad, entonces nuestras acciones no son aún auténticos actos de misericordia, ni se ha cumplido plenamente en nosotros la conversión, cuyo camino nos ha sido manifestado por Cristo con la palabra y con el ejemplo hasta la cruz, ni tampoco participamos completamente en la magnífica fuente del amor misericordioso que nos ha sido revelada por Él (*Dives in misericordia*, n. 14).

Benedicto XVI. La necesaria complementariedad de la ternura hacia Dios y hacia el prójimo. La misericordia divina remueve nuestros pecados y nos lleva por el camino de una vida nueva

Si en mi vida falta completamente el contacto con Dios, podré ver siempre en el prójimo solamente al otro, sin conseguir reconocer en él la imagen divina. Por el contrario, si en mi vida omito del todo la atención al otro, queriendo ser sólo "piadoso" y cumplir con mis "deberes religiosos", se marchita también la relación con Dios. Será únicamente una relación "correcta", pero sin amor. Sólo mi disponibilidad para ayudar al prójimo, para manifestarle amor, me hace sensible también ante Dios. Sólo el servicio al prójimo abre mis ojos a lo que Dios hace por mí y a lo mucho que me ama. Los Santos —pensemos por ejemplo en la beata Teresa de Calcuta— han adquirido su capacidad de amar al prójimo de manera siempre renovada, gracias a su encuentro con el Señor eucarístico y, viceversa, este encuentro ha adquirido realismo y profundidad precisamente en su servicio a los demás. Amor a Dios y amor al prójimo son inseparables, son un único mandamiento. Pero ambos viven del amor que viene de Dios, que nos ha amado primero (*Deus caritas est*, n. 18, 25 de diciembre de 2005).

La misericordia divina no consiste sólo en la remisión de nuestros pecados; consiste también en que Dios, nuestro Padre, a veces con dolor, tristeza o miedo por nuestra parte, nos devuelve al camino de la verdad y de la luz, porque no quiere que nos perdamos (*cfr.* Mt 18, 14; Jn 3, 16). Esta doble manifestación de la misericordia de Dios muestra lo fiel que es Dios a la alianza sellada con todo cristiano en el Bautismo (*Discurso. Visita a la Catedral Nuestra Señora de la Misericordia de Cotonú,* 18 de noviembre de 2011).

Francisco. De la cruz, acto supremo de misericordia, recibimos la fuerza para renacer como nuevas creaturas. El encuentro con Jesús misericordioso nos da la fuerza para volver a comenzar y ser capaces de misericordia

La fecundidad pastoral, la fecundidad del anuncio del Evangelio no procede ni del éxito ni del fracaso según los criterios de valoración humana, sino de conformarse con la lógica de la Cruz de Jesús, que es la lógica del salir de sí mismos y darse, la lógica del amor. Es la Cruz —siempre la Cruz con Cristo, porque a veces nos ofrecen la cruz sin Cristo: ésa no sirve—, es la Cruz de Cristo la que garantiza la fecundidad de nuestra misión. Y desde la Cruz, acto supremo de misericordia y de amor, renacemos como criatura nueva (*cfr.* Gál 6, 15), (*Homilía. Santa Misa con los seminaristas, novicios y novicias,* 7 de julio de 2013).

Invito a cada cristiano, en cualquier lugar y situación en que se encuentre, a renovar ahora mismo su encuentro personal con Jesucristo o, al menos, a tomar la decisión de dejarse encontrar por Él, de intentarlo cada día sin descanso. No hay razón para que alguien piense que esta invitación no es para él, porque "nadie queda excluido de la alegría traída por el Señor" (Pablo VI, *Gaudete in Domino,* n. 22). Al que arriesga, el Señor no lo defrauda, y cuando alguien da un pequeño paso hacia Jesús, descubre que Él ya esperaba su llegada con los brazos abiertos.

[…]Nadie podrá quitarnos la dignidad que nos otorga este amor infinito e inquebrantable. Él nos permite levantar la cabeza y volver a empezar, con una ternura que nunca nos desilusiona y que siempre puede devolvernos la alegría. No huyamos de la resurrección de Jesús, nunca nos declaremos muertos, pase lo que pase. ¡Que nada pueda más que su vida que nos lanza hacia adelante! (*Evangelii gaudium*, n. 3, 24 de noviembre de 2013).

Estamos llamados a vivir de misericordia, porque a nosotros en primer lugar se nos ha aplicado misericordia. El perdón de las ofensas deviene la expresión más evidente del amor misericordioso y para nosotros cristianos es un imperativo del que no podemos prescindir. ¡Cómo es difícil muchas veces perdonar! Y, sin embargo, el perdón es el instrumento puesto en nuestras frágiles manos para alcanzar la serenidad del corazón. Dejar caer el rencor, la rabia, la violencia y la venganza son condiciones necesarias para vivir felices (*Misericordiae vultus*, n. 9).

Queremos vivir este Año Jubilar a la luz de la palabra del Señor: *Misericordiosos como el Padre*. El evangelista refiere la enseñanza de Jesús: "Sean misericordiosos, como su Padre es misericordioso" (Lc 6, 36). Es un programa de vida tan comprometedor como rico de alegría y de paz. El imperativo de Jesús se dirige a cuantos escuchan su voz (*cfr*. Lc 6, 27). Para ser capaces de misericordia, entonces, debemos en primer lugar colocarnos a la escucha de la Palabra de Dios. Esto significa recuperar el valor del silencio para meditar la Palabra que se nos dirige. De este modo es posible contemplar la misericordia de Dios y asumirla como propio estilo de vida (*Misericordiae vultus*, n. 13).

Si no se quiere incurrir en el juicio de Dios, nadie puede convertirse en el juez del propio hermano. Los hombres ciertamente con sus juicios se detienen en la superficie, mientras el Padre mira el interior. ¡Cuánto mal hacen las palabras cuando están motivadas por sentimientos de celos y envidia! Hablar mal del propio hermano en su ausencia equivale a exponerlo al descrédito, a comprometer su reputación y a dejarlo a merced del chisme. No juzgar y no condenar significa, en positivo, saber percibir lo que de bueno hay en cada persona y no permitir que deba sufrir por nuestro juicio parcial y por nuestra presunción de saberlo todo. Sin embargo, esto no es todavía suficiente para manifestar la misericordia. Jesús pide también *perdonar y dar.* Ser instrumentos del perdón, porque hemos sido los primeros en haberlo recibido de Dios (*Misericordiae vultus*, n. 14).

La misericordia de Dios puede hacer florecer hasta la tierra más árida, puede hacer revivir incluso a los huesos secos (*cfr.* Ez 37, 1-14). He aquí, pues, la invitación que hago a todos: acojamos la gracia de la Resurrección de Cristo. Dejémonos renovar por la misericordia de Dios, dejémonos amar por Jesús, dejemos que la fuerza de su amor transforme también nuestras vidas; y hagámonos instrumentos de esta misericordia, cauces a través de los cuales Dios pueda regar la tierra, custodiar toda la creación y hacer florecer la justicia y la paz (Mensaje *Urbi et orbi,* 31 de marzo de 2013).

Las obras de misericordia

Pío XII. En las obras de misericordia está la esencia del Evangelio

En las obras de misericordia está la esencia misma del Evangelio (y la prueba de esto está en la palabra de Cristo juez, que no admitirá en el Reino eterno sino sólo a quien tenga el culto práctico de la misericordia). Ustedes, como todos aquéllos que están directamente llamados a aliviar a los afligidos en el cuerpo y en el alma, son páginas vivientes de este gran Libro divino, es decir, están destinados a mostrar al mundo que el Mensaje de Jesucristo no es letra muerta, sino sustancia de vida, siempre actuale y siempre actuada, y está dirigida a convertir el mundo del egoísmo al amor y a dar —no sólo a prometer— ese alivio y esa paz de los cuales Jesús ha dicho: "Vengan a mí todos los que están cansados y agobiados, y yo les daré descanso [...] y encontrarán paz para sus almas" (*Audiencia general*, 19 de julio de 1939).

Juan XXIII. Las obras de misericordia, confiadas a las religiosas que tienen el corazón dilatado por la castidad. Las obras de misericordia cambian el mundo

La Iglesia santa del Señor se enaltece y se embellece con la noble corona de las vírgenes, consagradas a la vida de oración y de sacrificio y a la práctica de las catorce obras de misericordia. [...] Quisiéramos en esta circunstancia hacerles sentir a ustedes y, sobre todo a la faz del mundo, el altísimo aprecio y gloria de la virginidad. Ella es la virtud que dilata su corazón para el amor más auténtico, más grande y más universal que darse pueda sobre la tierra: el servicio a Cristo en las almas. [...] De esta consagración total proviene la vocación particular de cada una de las familias religiosas, que se manifiesta en el servicio de Dios y de los hermanos según el despliegue de aquel inmenso tapiz, que embellece la casa del Señor y en que están representadas —nos complacemos en repetirlo con frecuencia— las catorce obras de misericordia (*A las religiosas de Roma*, 29 de enero de 1960).

[Ante la crisis de la civilización] proponemos el remedio de tales miserables abusos por medio de las obras de misericordia, y estamos muy seguros de que no la polémica, sino la cristiana y amorosa intrepidez en la manifestación pública, y en una vasta escala, de los tesoros del cristianismo, puede detener el mal. Miren: sobre esta misma sagrada colina Vaticana, la Iglesia guarda desde hace siglos tesoros inmensos de arte, de historia, de literatura, pero sus tesoros más auténticos, y por los cuales tiembla maternalmente, son los pobres, los enfermos, los niños, los débiles y los olvidados. Su voz se eleva suplicante por ellos, para pedir comprensión, protección, benevolencia; a ellos manda sus falanges de hijos e hijas solícitos y ardientes que enjugan las lágrimas, consuelan los espíritus oprimidos, alivian las miserias. [...] La multiplicidad concorde y activa de las empresas, que ustedes representan hoy ante Nos, hace que manifestemos un deseo de dulce esperanza, a saber, que Roma, como diócesis y centro de la catolicidad, merezca siempre el título luminoso, que en un principio le atribuyó con elogio incomparable San Ignacio *"praesidens universo coetui caritatis"*: que preside a toda la caridad, y de ella es ejemplo, impulso y guía; es decir, por todo lo que hemos considerado hoy, que preside no a una o a algunas sino a todas las obras de misericordia (*A los delegados de las Obras de Misericordia de Roma*, n. 3, 21 de febrero de 1960).

Pablo VI. El Papa, llamado a ejercer las obras de misericordia espirituales y también materiales

¿Cuál es la relación que existe entre los dos representantes de Cristo: el pobre y Pedro? [...] Entre las funciones de la autoridad pontificia, la primordial es la del ejercicio de la caridad, la cual, como se sabe, no es sólo ejercida mediante las obras de misericordia llamadas corporales, sino también, y sobre todo, mediante las espirituales; y éstas son precisamente el contenido específico de la misión benéfica y salvadora del oficio apostólico. Pero esto nos recuerda, y a Nosotros los primeros, que si somos auténticos seguidores de Cristo, debemos tener la máxima premura en socorrer a nuestros hermanos en la indigencia y en el sufrimiento. Debemos tener la inteligencia de las necesidades de los otros (*cfr.* Sal 11, 1), y con la inteligencia, la compasión; con la compasión, la veneración; con la veneración, la ingeniosidad para llevarles alivio (*Audiencia general,* 11 de noviembre de 1964).

Juan Pablo II. Las obras de misericordia representan el contenido más inmediato del compromiso de orden temporal de los laicos

La caridad con el prójimo, en las formas antiguas y siempre nuevas de las obras de misericordia corporal y espiritual, representa el contenido más inmediato, común y habitual de aquella animación cristiana del orden temporal, que constituye el compromiso específico de los fieles laicos. Con la caridad hacia el prójimo, los fieles laicos viven y manifiestan su participación en la realeza de Jesucristo, esto es, en el poder del Hijo del hombre que "no ha venido a ser servido, sino a servir" (Mc 10, 45). Ellos viven y manifiestan tal realeza del modo más simple, posible a todos y siempre, y a la vez del modo más engrandecedor, porque la caridad es el más alto don que el Espíritu ofrece para la edificación de la Iglesia (*cfr.* 1Cor 13, 13) y para el bien de la humanidad (*Christifideles laici,* n. 41, 30 de diciembre de 1988).

Francisco. Las obras de misericordia muestran lo esencial del Evangelio y despiertan nuestra conciencia ante el drama de la pobreza

Hoy quisiera destacar un aspecto especial de esta acción educativa de nuestra madre Iglesia, es decir, cómo ella *nos enseña las obras de misericordia*. Un buen educador apunta a lo *esencial*. No se pierde en los detalles, sino que quiere transmitir lo que verdaderamente cuenta para que el hijo o el discípulo encuentren el sentido y la alegría de vivir. Es la verdad. Y lo esencial, según el Evangelio, es *la misericordia*. Lo esencial del Evangelio es la misericordia. Dios envió a su Hijo, Dios se hizo hombre para salvarnos, es decir para darnos su misericordia. Lo dice claramente Jesús al resumir su enseñanza para los discípulos: "Sean misericordiosos, como su Padre es misericordioso" (Lc 6, 36). ¿Puede existir un cristiano que no sea misericordioso? No. El cristiano necesariamente debe ser misericordioso, porque éste es el centro del Evangelio. Y fiel a esta enseñanza, la Iglesia no puede más que repetir lo mismo a sus hijos: "Sean misericordiosos", como lo es el Padre, y como lo fue Jesús. Misericordia (*Audiencia general,* 10 de septiembre de 2014).

Es mi vivo deseo que el pueblo cristiano reflexione durante el Jubileo sobre las *obras de misericordia corporales y espirituales*. Será un modo para despertar nuestra conciencia, muchas veces aletargada ante el drama de la pobreza, y para entrar todavía más en el corazón del Evangelio, donde los pobres son los privilegiados de la misericordia divina. [...] Redescubramos las obras de *misericordia corporales*: dar de comer al hambriento, dar de beber al sediento, vestir al desnudo, acoger al forastero, asistir a los enfermos, visitar a los presos, enterrar a los muertos. Y no olvidemos las obras de *misericordia espirituales*: dar consejo al que lo necesita, enseñar al que no sabe, corregir al que yerra, consolar al triste, perdonar las ofensas, soportar con paciencia las personas molestas, rogar a Dios por los vivos y por los difuntos. No podemos escapar a las palabras del Señor y en base a ellas seremos juzgados: si dimos de comer al hambriento y de beber al sediento. Si acogimos al emigrante y vestimos al desnudo. Si dedicamos tiempo para acompañar al que estaba enfermo o prisionero (*cfr.* Mt 25, 31-45). Igualmente se nos preguntará si ayudamos a superar la duda, que hace caer en el miedo y en ocasiones es fuente de soledad; si fuimos capaces de vencer la ignorancia en la que viven millones de personas, sobre todo los niños privados de la ayuda necesaria para ser rescatados de la pobreza; si fuimos capaces de ser cercanos a quien estaba solo y afligido; si perdonamos a quien nos ofendió y rechazamos cualquier forma de rencor o de odio que conduce a la violencia; si tuvimos paciencia siguiendo el ejemplo de Dios que es tan paciente con nosotros; finalmente, si encomendamos al Señor en la oración nuestros hermanos y hermanas. En cada uno de estos más pequeños está presente Cristo mismo. Su carne se hace de nuevo visible como cuerpo martirizado, llagado, flagelado, desnutrido, en fuga... para que nosotros lo reconozcamos, lo toquemos y lo asistamos con cuidado. No olvidemos las palabras de san Juan de la Cruz: "En el ocaso de nuestras vidas, seremos juzgados en el amor" (*Palabras de luz y de amor*, 57), (*Misericordiae vultus*, n. 15).

La misericordia y la misión

Pablo VI. La misión de llevar la misericordia divina compromete al cristiano, incluso cuando descubre los valores presentes en las religiones no cristianas

El haber descubierto los valores que están presentes en las religiones no cristianas, valores espirituales y humanos dignos de todo respeto, el haber vislumbrado en ellos una misteriosa predisposición a la luz plena de la revelación, no autoriza el reposo al apostolado de la Iglesia; es más, lo reconforta y lo estimula. Y el reconocer que Dios tiene otras vías para salvar las almas por fuera del cono de luz, que es la revelación de la salvación, proyectado por Él sobre el mundo, no dispensa al hijo de la luz para que deje a Dios mismo el desarrollo de ésta, su secreta economía de la salvación, y renuncie al esfuerzo de expandir la verdadera luz; no lo dispensa de dar testimonio, del martirio, de la oblación a los hermanos, que aunque sin su culpa *"in umbra mortis sedent"* ("yacen en sombras de muerte"), sino que lo invita a celebrar el misterio de la misericordia con una visión inmensamente amplia, como la de san Pablo: *"Conclusit enim Deus omnia in incredulitate, ut omnium misereatur"* ("Porque Dios ha encerrado a todos en la incredulidad, para tener misericordia de todos", Rm 11, 32), y, por esto mismo, a hacerse portador de tal misericordia en el plano histórico y humano, tan ampliamente como le sea posible (*Discurso a los participantes en la Asamblea general del Consejo superior de las Obras Misionales Pontificias,* 14 de mayo de 1965).

Pablo VI. Dios salva a quien quiere y como quiere, pero espera la colaboración de nuestra misión

Sería ciertamente un error imponer cualquier cosa a la conciencia de nuestros hermanos. Pero proponer a esa conciencia la verdad evangélica y la salvación ofrecida por Jesucristo, con plena claridad y con absoluto respeto hacia las opciones libres que luego pueda hacer —sin "coacciones, solicitaciones menos rectas o estímulos indebidos" (*Dignitatis humanae,* n. 4)—, lejos de ser un atentado contra la libertad religiosa, es un homenaje a esta libertad, a la cual se ofrece la elección de un camino que incluso los no creyentes juzgan noble y exaltante. O, ¿puede ser un crimen contra la libertad ajena proclamar con alegría la Buena Nueva conocida gracias a la misericordia del Señor? O, ¿por qué únicamente la mentira y el error, la degradación y la pornografía han de tener derecho a ser propuestas y, por desgracia, incluso impuestas con frecuencia por una propaganda destructiva, difundida mediante los medios de comunicación social, por la tolerancia legal, por el miedo de los buenos y la audacia de los malos? Este modo respetuoso de proponer la verdad de Cristo y de su reino, más que un derecho es un deber del evangelizador. Y es a la vez un derecho de sus hermanos recibir a través de él, el anuncio de la Buena Nueva de la salvación. [...] No sería inútil que cada cristiano y cada evangelizador examinasen en profundidad, a través de la oración, este pensamiento: los hombres podrán salvarse por otros caminos, gracias a la misericordia de Dios, si nosotros no les anunciamos el Evangelio; pero ¿podremos nosotros salvarnos si, por negligencia, por miedo, por vergüenza —lo que san Pablo llamaba "avergonzarse del Evangelio" (Rm 1, 16)—, o por ideas falsas omitimos anunciarlo? (*Evangelii nuntiandi*, n. 80, 8 de diciembre de 1975).

Juan Pablo II. El apostolado cristiano anuncia la misericordia como liberación del mal

El misionero es invitado a creer en la fuerza transformadora del Evangelio y a anunciar [...] la conversión al amor y a la misericordia de Dios, la experiencia de una liberación total hasta la raíz de todo mal, el pecado (*Redemptoris missio*, n. 23, 7 de diciembre de 1990).

Francisco. La misericordia como camino de la misión. Los cristianos, tocados por la divina misericordia, emprenden iniciativas para difundirla

Se necesitan cristianos que hagan visible a los hombres de hoy la misericordia de Dios, su ternura hacia cada creatura. Sabemos todos que la crisis de la humanidad contemporánea no es superficial, es profunda. Por esto la nueva evangelización, mientras llama a tener el valor de ir a contracorriente, de convertirse de los ídolos al único Dios verdadero, ha de usar el lenguaje de la misericordia, hecho de gestos y de actitudes antes que de palabras (*Discurso. A los participantes en la Plenaria del Consejo Pontificio para la Promoción de la Nueva Evangelización*, 14 de octubre de 2013).

La comunidad evangelizadora experimenta que el Señor tomó la iniciativa y la ha precedido en el amor (*cfr.* 1Jn 4, 10); y, por eso, ella sabe adelantarse, tomar la iniciativa sin miedo, salir al encuentro, buscar a los lejanos y llegar a los cruces de los caminos para invitar a los excluidos. Vive un deseo inagotable de brindar misericordia, fruto de haber experimentado la infinita misericordia del Padre y su fuerza difusiva. ¡Atrevámonos un poco más a tomar la iniciativa! (*Evangelii gaudium,* n. 24, 24 de noviembre de 2013).

Hay tanta necesidad hoy de misericordia, y es importante que los fieles laicos la vivan y la lleven a los diversos ambientes sociales. ¡Adelante! Nosotros estamos viviendo el tiempo de la misericordia, éste es el tiempo de la misericordia (*Ángelus* 11 de enero de 2015).

La misericordia y la familia cristiana

La vida de familia es uno de los espacios más inmediatos para que los cristianos vivan concretamente la misericordia mutua. Los esposos cristianos se apoyan, para ello, en la fuerza de Dios, especialmente gracias al sacramento de la Reconciliación. Ante las parejas en crisis, la Iglesia y sus pastores están invitados a conjugar la fidelidad al plan divino en la familia y la misericordia de cara a quienes sufren.

Pablo VI. La misericordia en la vida familiar: los esposos y el recurso al sacramento de la Penitencia

Afronten, pues, los esposos los necesarios esfuerzos, apoyados por la fe y por la esperanza que "no engaña porque el amor de Dios ha sido difundido en nuestros corazones junto con el Espíritu Santo que nos ha sido dado"; invoquen con oración perseverante la ayuda divina; acudan sobre todo a la fuente de gracia y de caridad en la Eucaristía. Y si el pecado les sorprendiese todavía, no se desanimen, sino que recurran con humilde perseverancia a la misericordia de Dios, que se concede en el sacramento de la Penitencia (*Humanae vitae*, n. 25, 25 de julio de 1968).

No menoscabar en nada la saludable doctrina de Cristo es una forma de caridad eminente hacia las almas. Pero esto debe ir acompañado siempre de la paciencia y de la bondad de que el mismo Señor dio ejemplo en su trato con los hombres. Venido no para juzgar sino para salvar, Él fue ciertamente intransigente con el mal, pero misericordioso con las personas. Que en medio de sus dificultades encuentren siempre los cónyuges, en las palabras y en el corazón del sacerdote, el eco de la voz y del amor del Redentor. Hablen, además, con confianza, amados hijos, seguros de que el Espíritu de Dios que asiste al Magisterio en el proponer la doctrina, ilumina internamente los corazones de los fieles, invitándolos a prestar su asentimiento. Enseñen a los esposos el camino necesario de la oración, prepárenlos a que acudan con frecuencia y con fe a los sacramentos de la Eucaristía y de la Penitencia, sin que se dejen nunca desalentar por su debilidad (*Humanae vitae,* n. 29).

Juan Pablo II. El plan de Dios sobre la familia y una práctica pastoral misericordiosa

Este Sínodo [...] se ha movido sobre dos ejes: la fidelidad al plan de Dios acerca de la familia y la "praxis" pastoral, caracterizada por el amor misericordioso y el respeto debido a los hombres, abarcándolos en toda su plenitud, en lo referente a su "ser" y a su "vivir" (*Homilía. Santa Misa de Clausura de la V Asamblea General del Sínodo de los Obispos sobre el tema: Misión de la familia cristiana en el mundo contemporáneo*, 25 de octubre de 1980).

En unión con el Sínodo, exhorto vivamente a los pastores y a toda la comunidad de los fieles para que ayuden a los divorciados, procurando con solícita caridad que no se consideren separados de la Iglesia, pudiendo y aun debiendo, en cuanto bautizados, participar en su vida. Se les exhorte a escuchar la Palabra de Dios, a frecuentar el sacrificio de la Misa, a perseverar en la oración, a incrementar las obras de caridad y las iniciativas de la comunidad en favor de la justicia, a educar a los hijos en la fe cristiana, a cultivar el espíritu y las obras de penitencia para implorar de este modo, día a día, la gracia de Dios. La Iglesia rece por ellos, los anime, se presente como madre misericordiosa y así los sostenga en la fe y en la esperanza. [...] Actuando de este modo, la Iglesia profesa la propia fidelidad a Cristo y a su verdad; al mismo tiempo, se comporta con espíritu materno hacia estos hijos suyos, especialmente hacia aquéllos que inculpablemente han sido abandonados por su cónyuge legítimo. La Iglesia está firmemente convencida de que también quienes se han alejado del mandato del Señor y viven en tal situación, pueden obtener de Dios la gracia de la conversión y de la salvación si perseveran en la oración, en la penitencia y en la caridad (*Familiaris consortio*, n. 84, 22 de noviembre de 1981).

Benedicto XVI. *Justicia-verdad y misericordia no se oponen en los procesos matrimoniales canónicos*

Se ha de tener en cuenta la tendencia, difundida y arraigada, aunque no siempre manifiesta, que lleva a contraponer la justicia y la caridad, como si una excluyese a la otra. En este sentido, refiriéndose más específicamente a la vida de la Iglesia, algunos consideran que la caridad pastoral podría justificar cualquier paso hacia la declaración de la nulidad del vínculo matrimonial para ayudar a las personas que se encuentran en situación matrimonial irregular. La verdad misma, aunque se la invoque con las palabras, tendería de ese modo a ser vista desde una perspectiva instrumental, que la adaptaría caso por caso a las diversas exigencias que se presentan. [...] Hoy quiero subrayar que tanto la justicia como la caridad postulan el amor a la verdad y conllevan esencialmente la búsqueda de la verdad. En particular, la caridad hace que la referencia a la verdad sea todavía más exigente. "Defender la verdad, proponerla con humildad y convicción y testimoniarla en la vida, son formas exigentes e insustituibles de caridad. Ésta "goza con la verdad" (1Cor 13, 6), (*Caritas in veritate*, 1). "*Sólo en la verdad resplandece la caridad* y puede ser vivida auténticamente [...]. Sin verdad, la caridad cae en mero sentimentalismo. El amor se convierte en un envoltorio vacío que se rellena arbitrariamente. Éste es el riesgo fatal del amor en una cultura sin verdad. Es presa fácil de las emociones y las opiniones contingentes de los sujetos, una palabra de la que se abusa y que se distorsiona, terminando por significar lo contrario" (*Ibid.*, 3) (*Discurso a la Rota Romana*, 29 de enero de 2010).

Oración y misericordia

La oración es una de las circunstancias en las que el cristiano, en su diálogo con Dios, su Padre, aprende a descubrir la misericordia concreta del Señor con respecto a sí mismo y a sus hermanos.

Pablo VI. La oración humana es una de las causas que ponen a disposición la misericordia de Dios

Todo depende de Dios, porque Él es la fuente primera y única de todo, incluso en el ámbito de la libertad humana, y todo depende del hombre en cuanto él escoge libremente la posición que quiere respecto a la acción de Dios; es decir, Dios es causa, el hombre, condición. Para que la acción de Dios se desarrolle en el campo de nuestros intereses de manera favorable a nosotros, debemos ponernos en condición —en fase, diría el lenguaje mecánico moderno— para agilizar, para hacer posible la intervención divina de la misericordia. Este estudio, este esfuerzo de ponernos en condición de ser favorecidos por la obra de Dios en nosotros se llama oración. Es decir, la oración hace parte del sistema general de nuestras relaciones con Dios y de la economía esencial de nuestra salvación. Por eso, el Señor nos la ha recomendado tanto, como si Él la esperara de nosotros para concedernos su gracia; ésta es la causa que pone a disposición su misericordia hacia nosotros (*Audiencia general,* 10 de noviembre de 1965).

A la gratitud sucede el arrepentimiento. Al grito de gloria hacia Dios Creador y Padre sucede el grito que invoca misericordia y perdón. Que al menos sepa yo hacer esto: invocar tu bondad y confesar con mi culpa tu infinita capacidad de salvar. "*Kýrie eléison; Christe eléison; Kýrie eléison*" "Señor, ten piedad;

Cristo, ten piedad; Señor, ten piedad". Aquí aflora a la memoria la pobre historia de mi vida, entretejida, por un lado con la urdimbre de singulares e inmerecidos beneficios, provenientes de una bondad inefable (es la que espero podré ver un día y "cantar eternamente"); y, por otro, cruzada por una trama de míseras acciones, que sería preferible no recordar, son tan defectuosas, imperfectas, equivocadas, tontas, ridículas. *"Tu scis insipientiam meam"* ("Tú conoces mi ignorancia", Sal 68, 6). Pobre vida débil, enclenque, mezquina, tan necesitada de paciencia, de reparación, de infinita misericordia. Siempre me parece suprema la síntesis de san Agustín: miseria y misericordia. Miseria mía, misericordia de Dios. Que al menos pueda honrar a quien Tú eres, el Dios de infinita bondad, invocando, aceptando, celebrando tu dulcísima misericordia. [...] Y después, todavía me pregunto: ¿por qué me has llamado, por qué me has elegido, tan inepto, tan reacio, tan pobre de mente y de corazón? Lo sé: *"quae stulta sunt mundi elegit Deus... ut non glorietur omnis caro in conspectu eius"* ("Eligió Dios lo necio del mundo... para que no se gloríe ninguna carne en su presencia", 1Cor 1, 27-28). Mi elección indica dos cosas: mi pequeñez y tu libertad misericordiosa y potente, que no se ha detenido ni ante mis infidelidades, mi miseria, mi capacidad de traicionarte (*Meditación ante la muerte [1965]*, en: *L'Osservatore Romano*, nn. 32-33, 9 agosto 1979).

Con especial reverencia y reconocimiento a los Señores Cardenales y a toda la Curia romana: ante ustedes, que me rodean de cerca, profeso solemnemente nuestra fe, declaro nuestra esperanza, celebro la caridad que no muere, aceptando humildemente de la voluntad divina la muerte que me está destinada, invocando la gran misericordia del Señor, implorando la clemente intercesión de María Santísima, de los ángeles y de los santos, y encomendando mi alma al sufragio de los buenos. [...] Y cerca de aquello que más cuenta, despidiéndome de la escena de este mundo y yendo al encuentro del juicio y de la misericordia de Dios: debería decir tantas cosas, tantas. Sobre el estado de la Iglesia; que ella haya escuchado alguna palabra nuestra, que pronunciamos para ella con seriedad y amor. Sobre el concilio: que sea conducido a buen término, y se disponga a seguir fielmente sus prescripciones. Sobre el ecumenismo: que se continúe la obra de acercamiento con los hermanos separados, con mucha comprensión, con mucha paciencia, con gran amor; pero sin desviarse de la verdadera doctrina católica. Sobre el mundo: no se crea que se le sacará provecho asumiendo sus pensamientos, costumbres, gustos, sino estudiándolo, amándolo, sirviéndole. [...] Algunas oraciones para que Dios tenga misericordia de mí. *In Te, Domine, speravi*. Amén, aleluya. A todos, mi bendición, *in nomine Domini*. PAULUS PP. VI, Castel Gandolfo, 16 de septiembre de 1972, hora 7:30 (*El testamento* [1965-1972-1973], nn. 1.6. El testamento consiste en un escrito del 30 de junio de 1965, con dos adiciones, una de 1972 y otra de 1973).

Juan Pablo II. Con la oración, la Iglesia hace irrumpir la misericordia divina en el mundo lacerado por el mal

La Iglesia proclama la verdad de la misericordia de Dios, revelada en Cristo crucificado y resucitado, y la profesa de varios modos. Además, trata de practicar la misericordia para con los hombres a través de los hombres, viendo en ello una condición indispensable de la solicitud por un mundo mejor y "más humano", hoy y mañana. Sin embargo, en ningún momento y en ningún período histórico —especialmente en una época tan crítica como la nuestra— la Iglesia puede olvidar la oración que es un grito a la misericordia de Dios, ante las múltiples formas de mal que pesan sobre la humanidad y la amenazan. Precisamente éste es el fundamental derecho-deber de la Iglesia en Jesucristo: es el derecho-deber de la Iglesia para con Dios y para con los hombres. La conciencia humana, cuanto más pierde el sentido del significado mismo de la palabra "misericordia", sucumbiendo a la secularización; cuanto más se distancia del misterio de la misericordia alejándose de Dios, tanto más la Iglesia tiene el derecho y el deber de recurrir al Dios de la misericordia "con poderosos clamores". [...] Imploremos la misericordia divina para la generación contemporánea. La Iglesia que, siguiendo el ejemplo de María, trata de ser también madre de los hombres en Dios, exprese en esta plegaria su maternal solicitud y, al mismo tiempo, su amor confiado, del que nace la más ardiente necesidad de la oración (*Dives in misericordia*, n. 15).

La dimensión política y social de la misericordia

Los Papas han imaginado la ciudad de los hombres irrigada por la misericordia, especialmente gracias a la acción libre y responsable de los cristianos, formados por la Iglesia y transformado por los sacramentos. Recordemos brevemente las características de lo que Pablo VI llamó la civilización del amor.

Pío XII. La dimensión política de la misericordia y la oración por la paz

Nuestro Dios es amor, es la caridad misma; y nosotros hemos conocido y creído en la caridad que Dios tiene por nosotros (*cfr.* 1Jn 4, 16). Éste es el misterio del corazón de Dios, el gran misterio del cristianismo. Dios, con su infinita y amorosa misericordia, la cual se extiende a todas sus creaturas, nos escuchará —en el momento y en el modo dispuestos por su bendita Providencia—, si junto a su trono se eleva unánimemente la oración confiada y ardiente, validada por la humillación de la penitencia; porque de la suprema eminencia de la bondad y de la caridad divina hacen parte no sólo el distribuir el ser y el bienestar a todos, sino también el escuchar en su generosidad los deseos piadosos que se expresan por medio de la oración (*Homilía. Celebración eucarística para invocar la paz en el mundo*, 24 de noviembre de 1940).

Pablo VI. La civilización del amor fundada sobre la cruz: Cristo amado y encontrado en nuestros hermanos

La sabiduría del amor fraterno, la cual ha caracterizado el camino histórico de la santa Iglesia en virtud y en obras que son llamadas justamente cristianas, estallará con fecundidad renovada, con victoriosa felicidad, con sociabilidad regeneradora. Ni el odio, ni la protesta, ni la avaricia serán su dialéctica, sino el amor, el amor generador de amor, el amor del hombre por el hombre, no por un interés provisional y equívoco, o por una condescendencia amarga y mal tolerada, sino por amor a ti, a ti Cristo descubierto en el sufrimiento y en la necesidad de cada uno de nuestros semejantes. La civilización del amor prevalecerá en medio del afán de las implacables luchas sociales y dará al mundo la anhelada transfiguración de la humanidad finalmente cristiana (*Homilía en la Natividad del Señor*, 25 de diciembre de 1975).

Si queremos inaugurar nuevamente la *civilización del amor* y promoverla, no debemos engañarnos con que podremos transformar estos años estrechados por las arenas del tiempo, en un río de perfecta felicidad. [...] ¿Por qué aludimos a esta distancia de tiempo y de perspectiva la consecución de la forma verdadera y perfecta de la vida cristiana que nos ha sido asignada? ¡Oh! El porqué ustedes lo saben, y esto no debe perturbar nuestra seguridad y nuestro gozo anticipado y esperado. El porqué es la Cruz, erigida en el paso supremo entre la vida presente y la futura. La Cruz no sólo hace parte, sino que constituye el centro del misterio de amor que hemos escogido como programa verdadero e integral de nuestra existencia renovada (*Audiencia general,* 11 de febrero de 1976).

La síntesis entre verdad y caridad toca aspectos muy importantes de la vida, los cuales pueden cambiarla, como muchas veces sucede en la realidad histórica, en su antítesis. Es bueno para nosotros que el reciente Concilio nos haya confirmado en una y otra adhesión, es decir, en la adhesión a la verdad, que siempre merece el mayor respeto y, si es necesario, también el sacrificio de nuestra existencia para profesarla, para difundirla y para defenderla, y, al mismo tiempo, en la adhesión a la caridad, maestra de libertad, de bondad, de paciencia, de abnegación en todas nuestras relaciones con los hombres, a los cuales el Evangelio les da el nombre de hermanos. No son juegos de palabras, no son contraposiciones de escuela, no son dramas fatales de la historia; son problemas intrínsecos a la naturaleza y a la sociabilidad humanas, los cuales encuentran su solución humilde y triunfante en el Evangelio, y, por tanto, en la "civilización del amor" que anhelamos como herencia del Año Santo (*Audiencia general,* 18 de febrero de 1976).

Juan Pablo II. La civilización del amor anhelada Pablo VI se realizará si se escucha el anuncio de la misericordia

Si Pablo VI indicó en más de una ocasión la "civilización del amor", como fin al que deben tender todos los esfuerzos en campo social y cultural, lo mismo que económico y político, hay que añadir que este fin no se conseguirá nunca, si en nuestras concepciones y actuaciones, relativas a las amplias y complejas esferas de la convivencia humana, nos detenemos en el criterio del "ojo por ojo, diente por diente" y no tendemos, en cambio, a transformarlo esencialmente, superándolo con otro espíritu. Ciertamente, en tal dirección nos conduce también el Concilio Vaticano II cuando, al hablar repetidas veces de la necesidad de hacer el mundo más humano, identifica la misión de la Iglesia en el mundo contemporáneo precisamente en la realización de tal cometido. El mundo de los hombres puede hacerse cada vez más humano, únicamente si introducimos en el ámbito pluriforme de las relaciones humanas y sociales, junto con la justicia, el "amor misericordioso" que constituye el mensaje mesiánico del Evangelio (*Dives in misericordia*, n. 14).

Benedicto XVI. La civilización del amor predicada por Pablo VI, quiere hacer visible el amor de Cristo enfrentando con coraje las cuestiones éticas

Sus enseñanzas sociales (de Pablo VI) fueron de gran relevancia: reafirmó la importancia imprescindible del Evangelio para la construcción de la sociedad según libertad y justicia, en la perspectiva ideal e histórica de una civilización animada por el amor. Pablo VI entendió claramente que la cuestión social se había hecho mundial y captó la relación recíproca entre el impulso hacia la unificación de la humanidad y el ideal cristiano de una única familia de los pueblos, solidaria en la común hermandad. *Indicó en el desarrollo, humana y cristianamente entendido, el corazón del mensaje social cristiano* y propuso la caridad cristiana como principal fuerza al servicio del desarrollo. Movido por el deseo de hacer plenamente visible al hombre contemporáneo el amor de Cristo, Pablo VI afrontó con firmeza cuestiones éticas importantes, sin ceder a las debilidades culturales de su tiempo (*Caritas in veritate,* n. 13, 29 de junio de 2009).

Francisco. La misericordia concreta del servicio a los pobres

El imperativo de escuchar el clamor de los pobres, se hace carne en nosotros cuando se nos estremecen las entrañas ante el dolor ajeno. Releamos algunas enseñanzas de la Palabra de Dios sobre la misericordia, para que resuenen con fuerza en la vida de la Iglesia. [...] Es un mensaje tan claro, tan directo, tan simple y elocuente, que ninguna hermenéutica eclesial tiene derecho a relativizarlo. La reflexión de la Iglesia sobre estos textos no debería oscurecer o debilitar su sentido exhortativo, sino más bien ayudar a asumirlo con valentía y fervor. ¿Para qué complicar lo que es tan simple? Los aparatos conceptuales están para favorecer el contacto con la realidad que pretenden explicar, y no para alejarnos de ella. Esto vale sobre todo para las exhortaciones bíblicas que invitan con tanta contundencia al amor fraterno, al servicio humilde y generoso, a la justicia, a la misericordia con el pobre. Jesús nos enseñó este camino de reconocimiento del otro con sus palabras y con sus gestos. ¿Para qué oscurecer lo que es tan claro? (*Evangelii gaudium*, nn. 193-194).

Dios no está solamente en el origen del amor, sino que en Jesucristo nos llama a imitar su modo mismo de amar: "Como yo los he amado, ámense también unos a otros" (Jn 13, 34). En la medida en que los cristianos viven este amor, se convierten en el mundo en discípulos creíbles de Cristo. El amor no puede soportar el hecho de permanecer encerrado en sí mismo. Por su misma naturaleza es abierto, se difunde y es fecundo, genera siempre nuevo amor. [ ] Quien experimenta la misericordia divina, se siente impulsado a ser artífice de misericordia entre los últimos y los pobres. En estos "hermanos más pequeños", Jesús nos espera (*cfr.* Mt 25, 40); recibamos misericordia y demos misericordia (*Homilía. Celebración penitencial*, 28 de marzo de 2014).

ÍNDICE

Los Papas y la Misericordia
se terminó de imprimir en los talleres de
EDICIONES PAULINAS, S.A. DE C.V.
Calz. Taxqueña, núm. 1792, Deleg. Coyoa-
cán, 04250, México, D.F., en septiembre
de 2015. El tiro consta de 1,500 ejemplares
impresos más sobrantes para reposición